新流体力学　序説

光藤　髙明

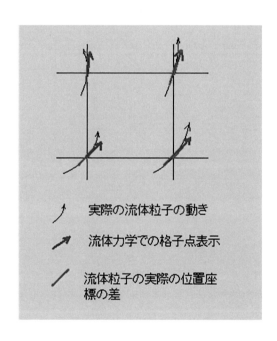

実際の流体粒子の動き

流体力学での格子点表示

流体粒子の実際の位置座
標の差

東京図書出版

ま え が き

　私は、天気予報の現場で退職前まで働いてきた人間なので、全く流体力学の素人というわけではないかもしれませんが、流体力学学会に入ったこともありませんし、学会で活躍されている方々から見ると素人にすぎません。趣味で流体力学の勉強をしている田舎の老人ですが、最近気づくことがありまして、この本を上梓することにしました。

　素人から見た素直な疑問を纏めたものですので、これから流体力学を学ぼうとする人たちに、参考になると思います。

　最近気づいたこととは、現代の流体力学では、流れの中の「回転」という概念が、間違っている可能性があるということです。その問題点などをあらかじめ知っておいてもらって、この本に書いていることも知識の一つとして持っていてもらって、これから学ぶであろう「現代流体力学」において、批判すべき点は正しく批判できるように、予備知識として一読しておいて頂きたいと思ったからです。

　そのつもりで、表題として「新流体力学」の「序説」としました。

　この本の目玉は、「第3章　流れの中の『回転』と『ずれ』について」です。これまで"ずれ"はすべて回転として捉えられてきましたが、従来の考え方では、プラスの回転をしている筈のベクトル場の回転がマイナスになる例が見つかりました。その矛盾を正し、矛盾の無い「回転」と「"ずれ"」を正しく捉える為の考え方を第3章に纏めています。

　どうか、ヘルムホルツの"うずいと"に惑わされること無く、正しい流体力学の構築を目指して下さい。

　令和2年6月6日

光 藤 髙 明

目　次

第1章 | 流れのベクトル場とは

◆流れの場とは

　流体とは、気体や液体のように、少しの力を加えると姿・形を容易に変形する物質を言います。固体との比較で把握すると分かりやすいですが、局所的にも塊として運動することを強制されていない物質と言うことができます。

　流体力学とは、その流体がどのように運動するかを知るための学問です。

　「流れの場」とは、流体の流れている場所の総ての点に速度、すなわち方向と強さを同時に示す空間のことを言います。方向と速さのように2つの数値を同時に持つ数値を「ベクトル」と言いますので、流れの場は、代表的なベクトル場と言うことができます。

　ただし、実際には速度の場という空間は無く、時間を止めた瞬間に空間に分布しているのは、「物質の位置 r」の分布だけです。空間に分布している各物質の位置が次の瞬間（Δt 後）にどこに移動したか、異なる二つの瞬間の位置の差を時間差 Δt で割ったベクトルの分布を、たとえば後ろの瞬間の空間に代表させて表示したものを「流れの場」と、便宜上しているだけです。

　瞬間の空間に「速度場」があると考えることは、「飛んでいる矢は止まっている」と考えるのと同じ勘違いをすることになります。

　ゼノンのパラドックスといって、矛盾している結論をいろいろあげて

いる中に「飛んでいる矢は止まっている」というのがあります。

　時間は瞬間のつながりでできていて、各瞬間には矢は止まっているという理屈です。

図1-1　時間は瞬間のつながりと考えることにする

図1-2　飛んでいる矢は、各瞬間に「そこにある」

　したがって、飛んでいる矢は止まっているというのです。一般には飛んでいる矢が止まっているとは思われません。この矛盾を解決するためには、「そこに在る」ことと、「そこに止まっている」ことの違いを区別する必要があります。

　各瞬間に、矢は確かにそこにありますが、「止まっている」のではなく、あくまでも「そこに在る」だけです。止まっているとは、速度が0であることです。速度とは、在る瞬間のその物の位置と、別の次の瞬間の位置との差のベクトルを、二つの瞬間の時間差で割った値です。

　微少な時間とはいえ、特定の時間間隔の間に位置が変化していないこと、すなわち「速度」が0であることを確認して初めて「止まっている」と言えます。学者は、この時間間隔を無限に小さくすることによっ

て、時間の幅の無い瞬間に速度が求められるということがありますが、時間を無限小に近づけることと完全に時間の間隔のない時間差0とは、異なります。

　時間変化率が時間の関数で与えられる取り決めがある場合は別として、時間微分の値を、時間差0、すなわち、瞬間に決めることはできません。同じように空間微分を1点の値で決めることもできません。

◆速度場はどの瞬間の場として描くべきか

　一般に、流体の「速度場」を表示するために、空間内に格子を考え、その格子点を通過する流体粒子の速度ベクトルを矢印で表示しています。「その点の速度分布」を表しますが、先に言ったように、本来、速度場は、瞬間には定義できず、二つの瞬間の間の出来事を、その間の時刻のどこかに代表的に表示します。

　流体の運動は、一般的に曲線運動をしていて、ごく短い時間では円運動の一部として考えることができますが、そのごく短い時間間隔のどの時刻に表示すべきでしょうか。

　速度を計測した二つの瞬間の後の方でも、先の方でも、中の時刻でも良さそうなものですが、若干のこだわりを持ちますと、「円運動をしている点の速度が接線方向を向いている」ことと矛盾の無いようにしたいと思います。

　回転円盤上の点のある瞬間の位置から、非常に短い時間の後の位置への移動を速度ベクトルとすると、すなわちはじめの瞬間の位置から後の瞬間の位置に向かうベクトルの矢印を速度ベクトルとして描くと、どんなに短い時間間隔でも、はじめにあった点から引いた接線方向に比べて、非常にわずかにではありますが、「内向いて」います。円と接線は、たった一つの共通の点を持っているだけだからです。

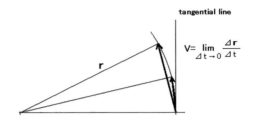

図1-3　一瞬後には接線より"内側"に移動

　また、その瞬間にある位置に来る前に、どこから移動してきたかを速度ベクトルとして用いるなら、すなわち速度を測る時間の終わりの方の瞬間に速度ベクトルを描くと、接線より「非常に薄く外向いて」います。どこから来たかというと内側から来ているから、その延長は外向いているからです。

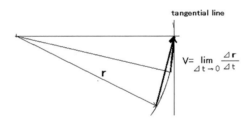

図1-4　今の位置の接線の"内側"からやってくる

　これらのことを考えると、言われているように「回転運動の速度ベクトルが接線を向く」ためには、この二つの時間の間の時間に描くことになります。

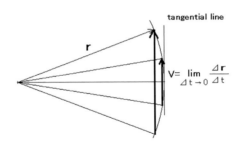

**図1-5　回転運動する物体の速度が接線
方向にあるためには**

　速度ベクトルの分布とは、速度を測るために必要な二つの瞬間の「間
の時刻」に表示するということにすると、「回転運動の速度ベクトルは
接線方向を向いている」と言うことが可能になります。

　以後、「その瞬間の速度」とは、「その瞬間の非常に短い時間の前後の
位置ベクトルの差を、その時間差で割って得られるベクトル」を言うこ
とにします。

◆ 流体粒子の運動は曲線運動

　流体粒子の運動は、流体の質量に掛かる引力や、電荷を持っている場
合では、その電磁気的な力を受けますし、近傍の流体粒子から受ける圧
力や剪断力などで、非常に複雑な運動を強いられます。基本的に曲線を
描いて運動していると考えられます。

　一般的には、速度場とは、図1-6の青い直線の矢印で示されるように
に、局所的、瞬間的な動きとして直線的な運動として表示されています
が、厳密には、流体粒子は、黒い実線で描いているような曲線を描いて
運動しており、速度は、赤い実線で示す位置の差ベクトルを二つの瞬間
の時間差で割った値であると考えるべきです。

従って、青い矢印で描かれたような直線の流れベクトル場を見る場合は、その分布図から黒い線を想像しながら見て頂くと正しい流れが見えてきます。

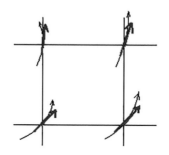

　　　　実際の流体粒子の動き

　　　　流体力学での格子点表示

　　　　流体粒子の実際の位置座
　　　　標の差

図1-6　格子点に示す速度ベクトルとは

第2章 | 流れの場の特性を表す数値

　流れの場を表現するためには、一般的にその場の中に格子を組み、その格子の交わる点（格子点）に、その場の流れの特性を表す数値を表示して示します。では、その数値にはどのような値があるかを考えてみます。

◆ 流れの特性1：その場の流速（流れの方向と強さ）

　流れの場を見るために、実際の流れの場を写真に撮っても、その流れの場はよく分からないでしょう。海峡の大きな渦の写真などは、瞬間の画面でも海面の傾きで流れを想像することができるかもしれませんが、基本的には静止画で動きは分かりません。流れの様子は、動画で撮るとよく分かります。写真は一つの瞬間の図で、瞬間には速度はないということは既に言った通りです。

　しかし、実際に一つの図に流れの場を示す方法は、既に見てきた通りの方法で、流れの中の各格子点に“その瞬間の”速度分布を描くと、流れの場が表示出来ます。流れの速度ベクトルを表示した図を「流れの速度ベクトル場」または単に「流れの速度場」と言います。

　流体の流れ特性の中で、もっとも基本的な数値としては、その場所の流れがどちらの方向に、どれくらいの速さで流れているかという“その場の流速”という数値があります。

◆ 流れの特性2：流線

　その場の流速を、流れの場に描くと、矢印が図いっぱいに描かれま

す。ある１点の速度ベクトルからそのベクトルを接線とする曲線を描いて行くと、「流線」を引くことができます。

　実際の流線図は、隣の「流線」との間の間隔などに規則を設けて引かれると思いますが、とりあえず、「流線」とは、「その線の接線が速度ベクトルの方向を向いている線」と言うことにします。

　空間の中の格子点に矢印で速度を示すだけで無く、空間に流線も引いていると、流れの様子がよく分かります。

◆流れの特性３：発散

　流体の流れは、基本的には同じような場所では同じような力が働き、殆ど一つの集団のようになって運動をすることが多いと思いますが、力の働き方が場所によって少しずつ変化しているなど、近傍にある粒子と全く同じ速度を持っているわけではありません。

　運動方向に加速する力が働いている場所があると、進行方向に速度が大きくなっていることが考えられ、流体が「伸び」ているような運動になっています。ばらばらの流体粒子の流れを考えると、流れの先の方で沢山（速く）流れ出し、後ろから流れ込んでくる量の方が少ない場合があります。そのような場合、その場所から流体が抜け出て行っていることになります。流体がその場所から出て行くことを「発散（Divergence）」と言い、「単位体積」からどれだけの「体積」が流れ出しているかを「発散量」と言います。「発散」は、流体の流れの場の特性のひとつとして重要な数値になっています。

　２次元平面で考える場合は、単位面積からどれくらいの流体粒子の占める面積が出て行くかを「発散」と言います。

　その点の速度ベクトルを F とし、x 軸、y 軸、z 軸方向の速度成分を

U、**V**、**W** で表示し、今考えている格子による直方体の各辺の x 軸、y 軸、z 軸方向の長さを、δx、δy、δz とすると、図2-1の **U** 成分による発散量は、

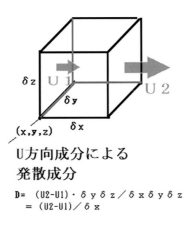

U方向成分による
発散成分

D= (U2-U1)・δyδz／δxδyδz
　= (U2-U1)／δx

図2-1　x軸方向の速度による発散

直方体から出て行く量 = $\delta y \cdot \delta z \cdot$ **U2**、
直方体に入ってくる量 = $\delta y \cdot \delta z \cdot$ **U1**
なので、出入りは、(**U2**−**U1**) $\cdot \delta y \cdot \delta z$
単位体積当たりに換算すると、

$$発散量\ \mathbf{D} = \frac{(\mathbf{U2}-\mathbf{U1}) \cdot \delta y \cdot \delta z}{\delta x \cdot \delta y \cdot \delta z}$$

$$= \frac{(\mathbf{U2}-\mathbf{U1})}{\delta x}$$

となります。

　この発散量 **D** がマイナスであることを「収束（Convergence）」と言います。**U** 成分による発散・収束のより具体的な 4 つの形態は、図2-2 に示すとおりです。

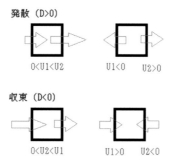

図2-2　Uによる発散、収束の4
つの形態

　同じように、y 軸方向の速度成分 V による発散量は、$\dfrac{\partial V}{\partial y}$、$z$ 軸方向
の速度成分 W による発散量は、$\dfrac{\partial W}{\partial z}$ となりますので、この格子におけ
る総発散量 **D** は、

$$\mathbf{D} = \frac{\partial U}{\partial x} + \frac{\partial V}{\partial y} + \frac{\partial W}{\partial z} \quad \cdots\cdots\cdots 2\text{--}1)$$

で表すことができます。

ここで、微分演算子の ∇（ナブラ）、

$$\nabla = \frac{\partial}{\partial x} \cdot \mathbf{i} + \frac{\partial}{\partial y} \cdot \mathbf{j} + \frac{\partial}{\partial z} \cdot \mathbf{k}$$

を用いると、発散 **D** は、

$$\mathbf{D} = \frac{\partial U}{\partial x} + \frac{\partial V}{\partial y} + \frac{\partial W}{\partial z}$$

$$= (\frac{\partial}{\partial x} \cdot \mathbf{i} + \frac{\partial}{\partial y} \cdot \mathbf{j} + \frac{\partial}{\partial z} \cdot \mathbf{k}) \cdot (U \cdot \mathbf{i} + V \cdot \mathbf{j} + W \cdot \mathbf{k})$$

$$= \nabla \cdot \mathbf{F}$$

と簡単な表記が出来ます。

　一般的には、３次元の流体を考える場合、粒子間の"隙間"が大きく変わることがなく、「連続の式」が成り立ちますので、「発散・収束」は殆ど有りませんが、３次元の空間の流体を水平方向に薄切りして、２次元の平面だけで流れを考えると、上下の層とのやり取りで、発散・収束が０で無くなることがあります。

　例えば、天気図は通常一定高度、または一定気圧面の２次元で空気の流れなどを検討しますが、検討している高度に下層や上層から空気が流れ込んで来たり、流れ出したりします。対流圏上層で流れ出し、すなわち発散があると、それはその下の層から空気が補給されて、空気の減少分を埋め合わせしています。そのような場所では、上昇気流があることになり、天気は悪くなります（対流圏の上は、安定した成層圏ですので、上からの補給や上の層への流れ出しは殆どありません）。

　逆に、上層で「発散」がマイナスとなっているところは、空気がその上層で「貯まって」しまいますので、そのような場所では、高気圧が強まり、高気圧が強まりますと、下層では、高気圧から周辺に空気が発散して逃げていきます。上層の収束と下層の発散により下降気流が起こり、好天になります。

　下層で、高気圧の周辺に空気が発散するのは、下層における摩擦の所為ですが、その話はここでは割愛いたします。

　このように、特に気象では、発散や収束が大変重要な解析すべき要素になっています。

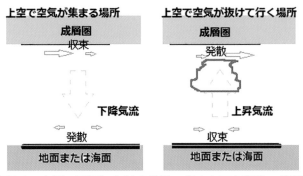

図2-3　上層、下層における発散・収束と天気現象の関係

◆ 流れの特性４：回転

　流れの場には、いわゆる「回転」があります。この回転については、実は、これまで流体力学では間違った解釈がされてきており、本書が「新流体力学」の「新……」をうたっている原因になっています。次の第３章で詳しく述べていきます。

第3章 | 流れの中の「回転」と「ずれ」について

ここまでは、従来の流体力学と変わったところは殆どありませんでしたが、ここでお話しする「回転」と "ずれ" については、このテキストが「新流体力学」と "新" をつけた理由になる部分です。

現代の流体力学では、流れの中に回転成分という成分があって、局所的にくるくると回っていると考えられています。その「回転成分」と第2章でお話しした「発散成分」の二つを合成したベクトルが、その場の流れ成分、すなわち速度ベクトルだと考えられています。

しかし、現代の流体力学で考えられている「回転成分」$\nabla \times \mathbf{F}$ では、定義上は、プラスであるべきところでマイナスになるなどの矛盾が出てきます。この式は、本当は、「"ずれ"」と「回転」から成っており、「"ずれ"」と「回転」の二つを区分することによって、その矛盾を解決することができるということをこの章でお話しします。

その前に、まずは "ずれ" と回転についてのお話からいたします。

◆ 流れの中のずれ

第2章で述べた発散は、$\mathbf{U}$ 成分がどれくらい x 軸方向に増えるか $\dfrac{\partial \mathbf{U}}{\partial x}$ によって与えられましたが、一般的には、y 軸方向の流れ成分 $\mathbf{V}$ も x 軸方向に変化しています。

この様に縦方向のベクトル $\mathbf{V}$ がそのベクトルの向きに直交する右横方向、すなわち x 軸方向に変化している状態を、"ずれ" があると言

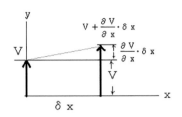

図3-1　速度のV成分がx軸方向
　　　　に変化している

い、「流れの方向を向いて右方向にどれだけ速度が大きくなっている
か」；$\dfrac{\partial V}{\partial x}$ を "ずれ"（Shear）の大きさと定義します。

"ずれ"を起こしているベクトルは、一つの面内、例えば（x-y）平面
に存在していますが、その面の指定をするために、その面に垂直な方向
を "ずれの方向" と定義し、"ずれ" を一つのベクトルとして扱います。

　ここで、座標系のお話をしておきます。このテキストでは、（通常の
テキストは大概そうですが）右手座標系を用います。右手座標系とは、
右手の親指、人差し指、中指の順にその指し示す方向が、x 軸、y 軸、
z 軸になっている座標です。

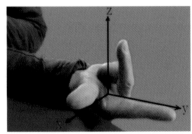

図3-2　右手座標系

この座標系の x-y 平面は、y 軸が人差し指方向；「縦」方向で、x 軸

が親指方向；「右横」方向になります。"ずれ $\dfrac{\partial V}{\partial x}$" とは、人差し指方向の速度 V が、親指方向 x にどれだけ増えているかを表す数値です。そして "ずれ" の向きは、速度 V が x 方向（右方向）に大きくなっている場合、その値はプラスで、z 軸方向（すなわち中指方向）を向くように定義します。

　左手座標系を用いると、回転の方向が反対になりますが、ややこしくなりますので、これ以上詳しく書かないことにします。

"ずれ" $\dfrac{\partial V}{\partial x}$ がマイナスのとき、すなわち右方向に速度が小さくなっている場合、または、左方向に大きくなっている場合、"ずれ" の向きは、その平面の下向きのベクトルになっています。このテキストでは、"ずれ" を表す記号として **S**（Shear）を用います。

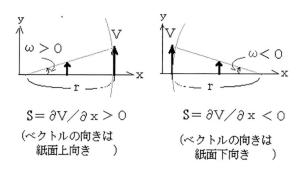

図3-3　"ずれ" の向き（S は、Shear；"ずれ" を示す）

◆回転

"ずれ" がある速度分布は、回転する円盤上の回転中心からの距離（r）の違う2点における速度 V にも見られます。

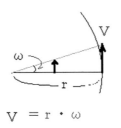

$$V = r \cdot \omega$$

図3-4　回転する点の速度

　回転（rotation）の大きさは、回転する円盤の回転角速度 ω で示すことができ、ω、r、V の間には、$\omega = \dfrac{V}{r}$ の関係があります。

　回転にも"ずれ"と同じように、方向と大きさがあり、一つのベクトルとして扱われます。回転もずれも平面内の速度差に関係した現象ですが、ずれや回転のベクトルの方向はその面に垂直な方向に取ります。

　右手座標系を用いて、回転の方向は、「右ねじ」を回した時に進む方向を「回転ベクトルの方向」とします。

　言い換えると、平面内のベクトルによる回転の方向は、平面の上から見て反時計回転をしている場合が回転のプラス方向と定義します。崖の上から海峡の"うず"を見て、反時計回転（左回り）をしている"うず"がプラスの値を持っており、そのうずの方向は海面の上方向を向いていることになります。

　実際に何かが海面の上を向いているのでは無く、海面という平面を規定するため、その海面に垂直な方向で定義しただけです。

　回転を示す物理的な単位（ディメンジョン）は、単位時間に回転する

角度で示しますが、角度がディメンジョンレスなので $\left\langle \dfrac{1}{sec} \right\rangle$ です。

　一方、"ずれ"の物理的な単位は、速度を横方向の距離で割った

$$値 = \dfrac{\left\langle \dfrac{m}{sec} \right\rangle}{\langle m \rangle} = \left\langle \dfrac{1}{sec} \right\rangle$$ です。

　つまり、「回転」も「"ずれ"」も同じ物理量になっていて、両者の違いが区別できなくなる原因になっています。

"ずれ：Shear"と回転の違いをイメージすると、図3-5のように示すことができます。

図3-5　"ずれ"と回転の違い（イメージ）

　実際の流体の流れの様子を、小さな格子点上の粒子の速度ベクトルで表現するなら図1-6に示したように、隣り合った微少部分は、互いに少しずつ速度に"ずれ"を持った流れで、イメージとしては、図3-5の下図のように、互いのレーンを速さの違うランナーが走っていくように"すれ違って"離れて行きます。右側のレーンの人が左側のレーンの

人とくるくる回りながら走っているわけではありません。が、しばらく
は、"ずれ"と回転の区別をせず、単に"ずれ"という言葉で"ずれ"
と回転を両方含めて言うことにします。

◆３次元の他の速度成分による"ずれ"

　次に、同じ（*x-y*）平面のベクトルＵが*y*軸方向に変化している場合
について考えてみましょう。

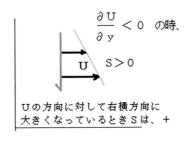

図3-6　$\dfrac{\partial U}{\partial y}$ による"ずれ"

　$\dfrac{\partial U}{\partial y}$ がマイナスの時、つまり、流れの方向である右方向を向いて下
方向に大きくなっている場合、流れの方向に対して、右側に速度が大き
くなっているので、Ｕによる"ずれ"の値はプラスになり、"ずれ"の
ベクトルの方向は上向きになります。従って、Ｕによる*y*軸方向の"ず
れ"の値は、$-\dfrac{\partial U}{\partial y}$ がプラスの時、プラスになり、上向きのベクトル
になります。

　同様に、（*y-z*）平面、（*z-x*）平面についてもずれを計算することが出
来、それぞれの"ずれ"の成分を全部考慮すると、３次元のベクトル場
Ｆのある点の近傍における"ずれ"を求めることができます。図3-7に
総ての"ずれ"成分のイメージを示します。

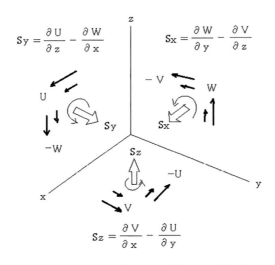

$$S_y = \frac{\partial U}{\partial z} - \frac{\partial W}{\partial x}$$

$$S_x = \frac{\partial W}{\partial y} - \frac{\partial V}{\partial z}$$

$$S_z = \frac{\partial V}{\partial x} - \frac{\partial U}{\partial y}$$

Sは、Shear("ずれ")を意味する

図3-7　直交座標による3次元の"ずれ"について

　図3-7を見ると、座標軸の方向（例えば x 軸）に直行する速度ベクトル成分（例えば **V**）は、各平面に2組考えられ、それらの偏微分式は、一方は、プラスに、一方はマイナスになり、合わせるとその面における"ずれ"になっていることが分かります。

　例えば、x-y 平面の速度ベクトル **U**、**V** による"ずれ"を求める場合には、$\left(\dfrac{\partial \mathbf{V}}{\partial x} - \dfrac{\partial \mathbf{U}}{\partial y}\right)$ を求める必要があります。

　この回転や"ずれ"のベクトルは、違う平面間のベクトル同士でも、通常のベクトル計算として計算を行うことができます。このことが回転や"ずれ"の方向として、実際にベクトルのある平面に垂直に定義してきたメリットとして挙げることができます。

　図3-7を参考に"ずれ"の総てをベクトル的に足し合わせると、その点の近傍の"ずれ"は、ベクトル **F** の x、y、z 軸成分が、U、V、Wで

あるとして、

$$“ずれ” = (\frac{\partial V}{\partial x} - \frac{\partial U}{\partial y})\mathbf{k} + (\frac{\partial W}{\partial y} - \frac{\partial V}{\partial z})\mathbf{i} + (\frac{\partial U}{\partial z} - \frac{\partial W}{\partial x})\mathbf{j}$$

で表すことができます。

この式は、先の微分演算子∇を用いて、ベクトルの外積の公式を用いると、

$$\nabla \times \mathbf{F} = \begin{vmatrix} \mathbf{i} & \mathbf{j} & \mathbf{k} \\ \dfrac{\partial}{\partial x} & \dfrac{\partial}{\partial y} & \dfrac{\partial}{\partial z} \\ U & V & W \end{vmatrix}$$

$$= \mathbf{i}(\frac{\partial W}{\partial y} - \frac{\partial V}{\partial z}) + \mathbf{j}(\frac{\partial U}{\partial z} - \frac{\partial W}{\partial x}) + \mathbf{k}(\frac{\partial V}{\partial x} - \frac{\partial U}{\partial y})$$

ですので、"ずれ" $\mathbf{S}$ は、$\mathbf{S} = \nabla \times \mathbf{F}$ と簡単に表記できます。この式は、一般的には、「回転」と呼ばれています。

次に、具体的なベクトル場 $\mathbf{H}$ の、いわゆる「回転」$\nabla \times \mathbf{H}$ について、実際に計算をして、理解を深めましょう。

◆４つの反時計回転をするベクトル場の例

図3-8は、c 点を中心に反時計回転をしている４種類の回転ベクトルの例です。すなわち、どのベクトルも、その方向はその点と回転中心 c 点を結ぶ直線に直交して、上から見て反時計回転をしています。そして、ベクトルの大きさはすべて中心の c 点からの距離 r だけで決まるベクトル場です。回転の定義から言うと、４つの例すべてが上から見て反時計回転をしていますので、プラス回転になっています。

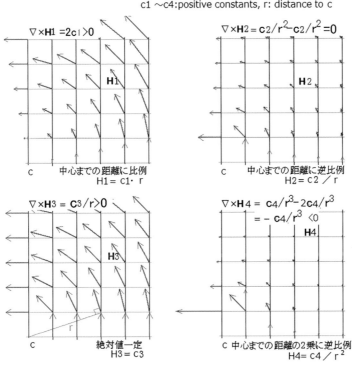

H1~H4: rotating vectors, H=|H| :magnetude of vectors
c1 ~c4:positive constants, r: distance to c

$\nabla \times H1 = 2c1 > 0$

H1

c　　中心までの距離に比例
　　　　H1 = c1・r

$\nabla \times H2 = c2/r^2 - c2/r^2 = 0$

H2

c　　中心までの距離に逆比例
　　　　H2 = c2 / r

$\nabla \times H3 = c3/r > 0$

H3

r

c　　絶対値一定
　　　　H3 = c3

$\nabla \times H4 = c4/r^3 - 2c4/r^3$
$= - c4/r^3 < 0$

H4

c　中心までの距離の2乗に逆比例
　　　H4 = c4 / r²

図3-8　回転するベクトルの４つの例

　左上(1)は、総ての点のベクトルの大きさ $|H1|$ が、点 c までの距離 r に比例していて、ちょうど c 点を中心に回転する円盤上の点の速度分布と同じになっています。

　右上(2)は、その大きさが中心までの距離に反比例するベクトル場 **H2** で、直線電流が作る磁場と同じようなベクトル場になっています。

　左下(3)は、現実の例があるかどうか分かりませんが、なめらかに連続するベクトル場として考えることのできる場として、ベクトルの大きさが一定になっているベクトル場 **H3** です。

右下⑷の例は、これも滑らかに連続するベクトル場として、ベクトルの大きさが、中心からの距離 r の２乗に逆比例するベクトル場 **H4** です。

　４つの回転するベクトル場のいわゆる「回転」を計算する前に回転ベクトルの直交成分を与える式を図3-9に示しておきます。

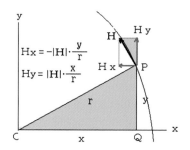

図3-9　回転ベクトル H の x 成分
**　　　 と y 成分**

　また、偏微分計算で後にたくさん出てきますので、r を、x、y で偏微分した値を求めておきますと、

$$\frac{\partial r}{\partial x} = \frac{1}{2} \cdot (x^2 + y^2)^{-\frac{1}{2}} \cdot 2x = \frac{x}{r} 、$$

$$\frac{\partial r}{\partial y} = \frac{1}{2} \cdot (x^2 + y^2)^{-\frac{1}{2}} \cdot 2y = \frac{y}{r}$$

◆ ４種類の回転ベクトルの回転の計算

〈∇ × **H1** の計算〉
　まず、左上⑴の場合、$|H| = c1 \cdot r$ ですから、

$$\nabla \times \mathbf{H} = \frac{\partial Hy}{\partial x} - \frac{\partial Hx}{\partial y}$$

$$= \frac{\partial (c1 \cdot r \cdot \dfrac{x}{r})}{\partial x} - \frac{\partial (-c1 \cdot r \cdot \dfrac{y}{r})}{\partial y}$$

$$= \frac{\partial (c1 \cdot x)}{\partial x} - \frac{\partial (-c1 \cdot y)}{\partial y}$$

$$= 2 \cdot c1$$

となります。

　回転円盤の場合は、この定数 $c1$ は、回転角速度 ω ですので、$\nabla \times$ $\mathbf{H} = 2\omega$ となります。

　$\nabla \times \mathbf{H}$ の計算結果が定数になりましたので中心からの距離 r に関係なく、どこでもいわゆる「回転」は $2 \cdot \omega$ で与えられることになります。計算結果に r が含まれていませんので、ベクトル場のどこででも、「回転」は、$2 \cdot \omega$ になっていることが分かります。

〈$\nabla \times \mathbf{H}2$の計算〉
　次に、右上(2)の場合を計算してみましょう。

$$\nabla \times \mathbf{H} = \frac{\partial Hy}{\partial x} - \frac{\partial Hx}{\partial y}$$

$$= \frac{\partial (\dfrac{c2}{r} \cdot \dfrac{x}{r})}{\partial x} - \frac{\partial (-\dfrac{c2}{r} \cdot \dfrac{y}{r})}{\partial y}$$

$$= \frac{\partial (c2 \cdot \frac{x}{r^2})}{\partial x} + \frac{\partial (c2 \cdot \frac{y}{r^2})}{\partial y}$$

$$= \frac{c2}{r^2} \quad c2 \cdot x \cdot \frac{\partial (\frac{1}{r^2})}{\partial r} \cdot \frac{\partial r}{\partial x} + \frac{c2}{r^2} \quad c2 \cdot y \cdot \frac{\partial (\frac{1}{r^2})}{\partial r} \cdot \frac{\partial r}{\partial y}$$

$$= \frac{c2}{r^2} + \frac{c2 \cdot x \cdot (-2)}{r^3} \cdot \frac{x}{r} + \frac{c2}{r^2} + \frac{c2 \cdot y \cdot (-2)}{r^3} \cdot \frac{y}{r}$$

$$= \frac{2c2}{r^2} - \frac{2c2 \cdot (x^2 + y^2)}{r^4}$$

$$= \frac{2c2}{r^2} - \frac{2c2}{r^2} = 0$$

(式の途中、$\dfrac{\partial r}{\partial x} = \dfrac{x}{r}$、$\dfrac{\partial r}{\partial y} = \dfrac{y}{r}$ を使っています)

この **H2** は、磁界と同じ性質をもったベクトル場ですが、いわゆる「回転」は、すべてのポイント（場所）で0になっています。

〈$\nabla \times$ **H3**の計算〉

　次に、左下(3)、$|{\rm H3}| = c3$（一定）のベクトル場の「回転」を計算してみましょう。

$$\nabla \times \mathbf{H} = \frac{\partial {\rm H}y}{\partial x} - \frac{\partial {\rm H}x}{\partial y}$$

$$= \frac{\partial (c3 \cdot \frac{x}{r})}{\partial x} - \frac{\partial (c3 \cdot \frac{y}{r})}{\partial y}$$

28

$$= c3 \cdot \left(\frac{\partial \left(\frac{x}{r} \right)}{\partial x} + \frac{\partial \left(\frac{y}{r} \right)}{\partial y} \right)$$

$$= c3 \cdot \left(\frac{1}{r} + x \cdot \frac{\partial \left(\frac{1}{r} \right)}{\partial r} \frac{\partial r}{\partial x} + \frac{1}{r} + y \cdot \frac{\partial \left(\frac{1}{r} \right)}{\partial r} \frac{\partial r}{\partial y} \right)$$

$$- c3 \cdot \left(\frac{1}{r} + x \cdot (-1) \frac{1}{r^2} \cdot \frac{x}{r} + \frac{1}{r} + y \cdot (-1) \frac{1}{r^2} \cdot \frac{y}{r} \right)$$

$$= \frac{c3}{r} \cdot \left(1 + x \cdot (-1) \frac{x}{r^2} + 1 + y \cdot (-1) \frac{y}{r^2} \right)$$

$$= \frac{c3}{r} \cdot \left(1 - x^2 \cdot \left(\frac{1}{r^2} \right) + 1 - y^2 \cdot \left(\frac{1}{r^2} \right) \right)$$

$$= \frac{c3}{r} \cdot \left(2 - \frac{(x^2 + y^2)}{r^2} \right) = \frac{c3}{r}$$

となります。この値は、中心までの距離 r に逆比例していますので、このベクトル場では、回転中心に近いほど大きな「回転」になっており、回転中心から遠く離れると 0 に近づきます。その値は、場所によって変化しますが、プラスの値になっています。

〈$\nabla \times$ **H4**の計算〉
　最後に、右下の(4)のベクトル場は、回転中心から距離 r の 2 乗に逆比例する大きさを持つ回転ベクトル場の「回転」の計算です。

　このベクトル場の$\nabla \times$ **H** は、$|\mathbf{H}| = \dfrac{c4}{r^2}$ ですので、

$$U = \frac{c4}{r^2} \cdot \frac{y}{r}$$

$$V = \frac{c4}{r^2} \cdot \frac{x}{r}$$

です。したがって、

$$\nabla \times \mathbf{H} = \frac{\partial V}{\partial x} - \frac{\partial U}{\partial y}$$

$$= \frac{\partial (c4 \cdot \frac{x}{r^3})}{\partial x} + \frac{\partial (c4 \cdot \frac{y}{r^3})}{\partial y}$$

$$= c4 \left(\frac{1}{r^3} + x \cdot \frac{\partial (\frac{1}{r^3})}{\partial r} \cdot \frac{\partial r}{\partial x} + \frac{1}{r^3} + y \cdot \frac{\partial (\frac{1}{r^3})}{\partial r} \cdot \frac{\partial r}{\partial y} \right)$$

$$= c4 \left(\frac{1}{r^3} + x \cdot \frac{-3}{r^4} \cdot \frac{x}{r} + \frac{1}{r^3} + y \cdot \frac{-3}{r^4} \cdot \frac{y}{r} \right)$$

$$= c4 \left(\frac{1}{r^3} + x^2 \cdot \frac{-3}{r^5} + \frac{1}{r^3} + y^2 \cdot \frac{-3}{r^5} \right)$$

$$= \frac{c4}{r^3} \left(1 + x^2 \cdot \frac{-3}{r^2} + 1 + y^2 \cdot \frac{-3}{r^2} \right)$$

$$= \frac{c4}{r^3} \left(2 - 3 \frac{(x^2 + y^2)}{r^2} \right)$$

$$= -\frac{c4}{r^3} \qquad (\because x^2 + y^2 = r^2)$$

この値は、c_4をプラスの定数に取っていますので、どの点において
もマイナスの値を持ちます。すなわち、このベクトル場ではすべての点
でマイナスの「回転」になっています。

このベクトル場の回転は上から見て、すべての点で反時計回転をして
いますので、プラスの筈ですが、いわゆる「回転」の考え方に矛盾が出
てきています。

====================================

この矛盾を解決するためには、$\nabla \times \mathbf{H}$ が「回転」であると考えること
の間違いに気づく必要があります。これからは、"ずれ"と回転の違い
について意識して用いていきます。

◆極座標による$\nabla \times \mathbf{F}$の計算について

なぜ、このような結果になるのでしょうか。それは、$\nabla \times \mathbf{H}$ を「回
転」と考えていることに原因があります。

この式の表す意味を考える為に、流れの場をもう一度改めて見直しま
しょう。

流れの場は、本来図1-6のように、曲線的に運動している流体粒子の
運動を、ベクトルとして便宜上直線表示してきたことを忘れてしまっ
て、直線的な運動の中に渦の成分が入り込んでいると考えたことに、こ
れらの間違いの原因があります。

流体力学の発展期では仕方の無い考え方であったのですが、直線的な
速度ベクトルから回転成分を取り出すことに苦労していた時代、ヘルム
ホルツが流れ成分の中に「回転する成分」や「うずいと」を考えたの
は、無理からぬことだったのかもしれません。

ベクトル場 F に、ポテンシャルが存在するかどうかを、数学的に吟味するときに ∇×F が 0 であるかどうかは、大きな意味を持ちます。この重要な数値∇×F の物理的な意味を考えるに当たって、オイラー的に空間に固定した直交座標で検討すると、複雑になってその意味が分かりづらくなってしまいます。

　この値の正しい意味を考察するためには、ラグランジュ的に、流体粒子の運動を追いかけるような考察を行うと、明瞭に理解することができます。実際に、数値計算するには、オイラー的な空間固定の座標による計算が現実的ですが、物理的な意味を考察する場合は、移動する座標の方が有効な場合があります。

　運動している流体粒子に寄り添った座標の取り方をして、その速度の方向に常に注目した座標を考えます。具体的には、流線に沿った座標を考えて、極座標系で ∇×F を求めると、道が開けてきます。

　「流線」とは、「流体中の各点の接線が、一定時刻における流れの方向に一致するように描かれた曲線」とあり、流線上の各ポイントの速度は、流線の接線を向いていると言えます。

　そして、流体粒子の運動は、その点のその瞬間の前後の局所的な動きを考えると、流線という曲線のごく一部を切り取って考えることになり（図1-6参照）、その切り取った局所部分は、回転円盤の点の動きとしてとらえることができます。つまり、3次元の複雑な流れの場でも「その瞬間のその点の周辺のごく小さな領域」を考えると、2次元の回転円盤上の点の動きと同じと考えることができます。

　この考え方は、ヘルムホルツが、流体の微少部分の動きに、"個体としての回転運動成分"を考えたのと、少し似ていますが、まったく違います。彼の考えは、回転を「成分」として考え、そのほかの成分と合わせないと、その点の流れ（速度）にはなりません。ここでの考え方は、

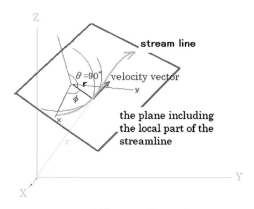

図3-10　流線の局所部分の解釈

速度そのものが、回転円盤上の動きと等価であるとしています。

　図3-10では、流線を stream line と書いています。３次元の複雑な流体の運動もごく短い時間、ごく小さな領域について考えると、回転円盤上の２次元の回転運動として扱うことができるということです。

　ここで、回転運動をするベクトル場 F に限定した、∇×F について、考えてみましょう。先には、直交座標（x、y、z）で"ずれ"（現代の流体力学で言う「回転」）；∇×F を計算しましたが、同じように流れの場を表す方法に極座標という位置の決め方があります。

　図3-11に示すように、極座標によっても、総ての流れの場の指定が出来ますし、極座標表現による速度ベクトルの表示も出来ます。極座標による直交する３成分の表示も行うことができます。それらの数式を用いて∇×F の計算もできます。

　先のベクトル場 F に変えて、ベクトル場 A で表示します。極座標でベクトル場 A の「回転∇×A」は、ネットで「３次元極座標（球座標）におけるベクトル演算」で検索すると、大変複雑な計算方法も示されて

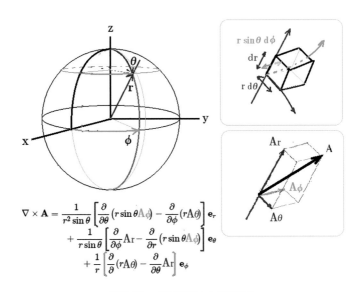

$$\nabla \times \mathbf{A} = \frac{1}{r^2\sin\theta}\left[\frac{\partial}{\partial\theta}(r\sin\theta A_\phi) - \frac{\partial}{\partial\phi}(rA_\theta)\right]\mathbf{e}_r$$
$$+ \frac{1}{r\sin\theta}\left[\frac{\partial}{\partial\phi}A_r - \frac{\partial}{\partial r}(r\sin\theta A_\phi)\right]\mathbf{e}_\theta$$
$$+ \frac{1}{r}\left[\frac{\partial}{\partial}(rA_\theta) - \frac{\partial}{\partial\theta}A_r\right]\mathbf{e}_\phi$$

図3-11　極座標による表示

いて、結果は、

$$\nabla\times\mathbf{A} = \frac{1}{r^2\sin\theta}\left[\frac{\partial}{\partial\theta}(r\sin\theta A_\phi) - \frac{\partial}{\partial\phi}(rA_\theta)\right]\mathbf{e}_r$$

$$+ \frac{1}{r\sin\theta}\left[\frac{\partial}{\partial\phi}A_r - \frac{\partial}{\partial r}(r\sin\theta A_\phi)\right]\mathbf{e}_\theta$$

$$+ \frac{1}{r}\left[\frac{\partial}{\partial}(rA_\theta) - \frac{\partial}{\partial\theta}A_r\right]\mathbf{e}_\phi$$

（http://physics.thick.jp/Physical_Mathematics/Section3/3-21.html より）

と示されています。∇×**A** は、一般的には「回̇転̇」と言っているので、上の式の検索の時は、「回̇転̇」and「極座標」で調べて下さい。

この式は３次元の極座標の計算式ですが、３次元の複雑な速度場も、

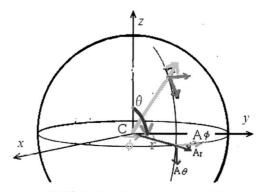

x-y平面内のベクトルは、θ＝0、Aθ＝0であり、
Cを中心に回転するベクトルは、Ar＝0

図3-12　極座標でθ＝90°のベクトルに限定

図3-10で見たように、その点の近傍の局所、その瞬間のごく短い時間、流線は、回転円盤の、すなわち2次元の回転運動の一部として捉えることが出来ます。

　そう考えると、図3-12に示すように、3次元の$\nabla \times \mathbf{A}$の式から、θ＝90度の特殊な場合に限定して考えることによって、2次元平面の回転として捉えることが出来ます。

　すなわち、θを90度に固定し、x-y平面の速度に限定します。しかも回転円盤上の点の動きと同じと考えると、$\mathbf{A}_\theta = 0$、$\mathbf{A}_r = 0$の条件をつけることができますので、$\mathbf{A}_\phi$以外の成分は0とすることができます。

　このような規制を行うと、

$$\nabla \times \mathbf{A} = \frac{1}{r} \cdot \frac{\partial r(-r \cdot \mathbf{A}\phi)}{\partial r}$$

$$= \frac{1}{r} \cdot (-\mathbf{A}\phi - r \cdot \frac{\partial r(\mathbf{A}\phi)}{\partial r})$$

$$= -\frac{\mathbf{A}\phi}{r} - \frac{\partial r(\mathbf{A}\phi)}{\partial r}$$

$$(\because \mathbf{A}_\theta = 0 、 \mathbf{A}_r = 0 、 \sin\theta = 1)$$

となります。

　ただし、この式は、θ を90度に固定した計算式で、θ の正の方向は、z 軸の負の方向を向いています。したがって、右手系の直交座標で、$(x\text{-}y)$ 平面の垂直上向き（z 軸の正の方向）を正とする場合は、上式の右辺のマイナスはプラスに変更する必要があります。

$$(\nabla \times \mathbf{A})_{\theta = 90} = \frac{\mathbf{A}_\phi}{r} + \frac{\partial(\mathbf{A}_\phi)}{\partial r} \quad \cdots\cdots\cdots\cdots 3\text{-}1)$$

　すなわち、これが、回転中心から r 離れた点の回転ベクトル $\overset{\bullet\bullet}{\mathbf{A}}$ による $\nabla \times \mathbf{A}$ を表す数式です。

　$\nabla \times \mathbf{A}$ を求める 3-1) 式は、$\theta = 90$度、$\mathbf{A}_\theta = 0$、$\mathbf{A}_r = 0$ を前提としたごく特殊な場合のみに適用されると考えられるかもしれませんが、図3-10に見てきたように、実際のどんな複雑な流れの場にも、「その点近傍の、その瞬間を挟む非常に短い時間」の現象として捉えると、任意のベクトル場に適用することができ、この条件を満たしています。

　すなわち、3-1) 式は、一般的に流れの場 $\mathbf{A}$ の中の任意の点における $\nabla \times \mathbf{A}$ を示す式と見なすことができ、図3-13のようなモデルを考えることができます。ただし、流れの場は固定円盤ではなく、この r の $\pm\delta r$ の位置では、r に比例しているとは限らない、種々の変化模様を示す「流れの場」となっています。

$$\nabla \times A = A/r + \partial(A)/\partial r$$

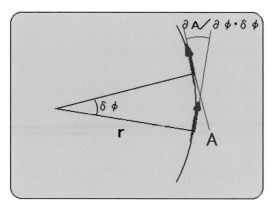

図3-13　∇×Aの意味

　第1章の図1-6で、示したように、流体の流れはもともと曲線的な運動をしており、黒い実線で描いた流れ分布をその瞬間には取っています。3-1）式の右辺第1項は、あの黒い実線の特性を、その曲率で示しています。周囲の流体粒子との速度差に関係なく、「どのように回転しながら流れているか」は、流線の曲率半径とその速度で示していると言うことができます。

　つまり、その瞬間におけるその点を含む微小な流体の航跡を、半径 r の円の一部と考えることができますので、第1項は、これこそが、この流体が渦巻いて、回転運動をしている角速度と考えられます。つまり、この第1項こそが「真の回転」と考えることができます。

　第2項は、その点の速度ベクトルの直角右横方向の空間微分ですから、この点の速度ベクトルの "ずれ" を示しています。これがこの点における流れの中の「純粋な "ずれ"」と言うことができます。

　ここで示したことは、この本のエッセンスですので、もう一度まとめておきます。

∇×**A**は、単なる「回転」では無く、流線の持つ曲率半径で示される「**真の回転**」と、流線に直角な方向にみられる「**純粋な"ずれ"**」を合わせたものです。

　以後、∇×**A**を「総"ずれ"」、または「トータルシェア」と呼びたいと思いますが、「総"ずれ"」は語感が良くないので、「**トータルシェア**」と呼ぶことにします。

　このように、「真の回転」成分と「純粋な"ずれ"」成分に分解することにより、具体的な実例の中に見られた矛盾を、解決できる実例を以下に示していきます。

◆4種類の回転ベクトルＨのトータルシェア；∇×Ｈの計算

　図3-8に示した4種類の回転ベクトル場の「トータルシェア」（今の流体力学で「回転」と言っている数値です）の計算を、"真の回転"と"純粋なずれ"に分けて計算のできる3-1）式で計算してみましょう。

　まず、**H1** = $c_1 \cdot r$ については、これは回転円盤上の点の動きと一緒ですが、3-1）式を適用して、

$$\nabla \times \mathbf{H1} = \frac{\mathrm{H1}}{r} + \frac{\partial(\mathrm{H1})}{\partial r}$$

$$= \frac{c_1 \cdot r}{r} + \frac{\partial(c_1 \cdot r)}{\partial r}$$

$$= c_1 + c_1 = 2 \cdot c_1$$

　この式の意味は、真の回転が c_1 で、純粋な"ずれ"も c_1 であったことを示しています。この真の回転 c_1 を回転角速度 ω とすると、回転円

盤の「真の回転」が ω、純粋なずれも ω で、「トータルシェア」は併せて $2\cdot\omega$ であることを示しています。3-1）式を用いると、式の計算が速くできます。

　現代の流体力学のすべてのテキストで、流体の渦度 $\omega=\nabla\times\mathbf{H}$ は流体の微少部分の回転角速度の2倍になっていると言います。その場の流体粒子の回転角速度の2倍になっているというのは、何故かと不思議に思っていましたが、「真の回転」が角速度 ω であり、それに「純粋な"ずれ"」ω が加わって、2ω になることが分かりました。

　現代流体力学では、その点の「渦度」は「流体の微少部分の回転角速度の2倍になっている」と言うのですが、このことに何の疑問も持たないで、賢く理解するのはやめましょう。

　続いて、$\mathbf{H}2=\dfrac{c2}{r}$ の回転ベクトルの場合は、磁界と同じ形の回転ベクトルですが、

$$\nabla\times\mathbf{H}2=\frac{\mathrm{H}2}{r}+\frac{\partial(\mathrm{H}2)}{\partial r}$$

$$=\frac{\dfrac{c2}{r}}{r}+\frac{\partial(\dfrac{c2}{r})}{\partial r}$$

$$=\frac{c2}{r^2}-\frac{c2}{r^2}=0$$

　磁界と同じ性格の流れの場は、真の回転が $\dfrac{c2}{r^2}$、純粋な"ずれ"が、$-\dfrac{c2}{r^2}$ で「トータルシェア」は0になっています。このトータルシェアの計算も先に計算した「回転」と同じ値になっていますが、計算が簡単

で、しかも、真の回転と純粋なずれに、それぞれ分けて求めることができています。

更に $\mathbf{H}3 = c3$、すなわち、大きさが一定の回転ベクトルの場合は、

$$\nabla \times \mathbf{H}3 = \frac{\mathbf{H}3}{r} + \frac{\partial (\mathbf{H}3)}{\partial r}$$

$$= \frac{c3}{r} + 0 = \frac{c3}{r}$$

大きさが一定の回転するベクトル場では、真の回転が $\dfrac{\mathbf{H}3}{r}$ で、純粋な "ずれ" は 0 です。"ずれ" が 0 なのは、ベクトルの大きさを一定に決めたベクトル場ですので、納得です。

続いて、最後の $\mathbf{H}4 = \dfrac{c4}{r^2}$ の場合、

$$\nabla \times \mathbf{H}4 = \frac{\mathbf{H}4}{r} + \frac{\partial (\mathbf{H}4)}{\partial r}$$

$$= \frac{c4}{r^3} + \frac{\partial (\frac{c4}{r^2})}{\partial r}$$

$$= \frac{c4}{r^3} - 2\frac{c4}{r^3} = -\frac{c4}{r^3}$$

大きさが回転中心からの距離の２乗に逆比例する回転ベクトル場は、真の回転は、$\dfrac{c4}{r^3}$ で、プラス回転をしているのですが、純粋な "ずれ" がマイナスで回転の倍になっているため、「トータルシェア」はマイナスになっています。

　$\nabla \times \mathbf{H}$ がトータルシェアであるとの考え方では、このベクトル場に対して、「真の回転」が $\dfrac{c4}{r^3}$ で与えられ、回転の定義に矛盾することなくプラスの値を得ることができます。その上で、「純粋な"ずれ"」のマイナスが大きく、トータルシェアとして、マイナスになっています。

　3次元の複雑な流れの場でも、その瞬間前後の非常に短い時間の、小さな領域を取り出せば、その時、その場所の流線の曲率半径を回転半径とする回転円盤の動きと同一視することができ、極座標による $\nabla \times \mathbf{H}$ の計算によって、3-1）式に示すような、「トータルシェア」を求めることができます。

　$\nabla \times \mathbf{H}$ が、「トータルシェア」であり、「真の回転」と「純粋な"ずれ"」から成っていることを認めると、いろいろなベクトルの特性を矛盾無く、すっきりと説明ができます。

　これら4種類の回転するベクトル場のイメージを図にすると、図3-14のように示すことができます。

　「真の回転」は、その瞬間に、その点近傍の流体粒子の動きで決められるトラックの曲率半径で決まっており、それぞれの走者（粒子）の速さの差が「純粋な"ずれ"」になっています。

　流体の流れのなかに、渦があるかどうかを見るのは、その流れの様子を表している流線の中に見られます。ヘルムホルツが言うような「局所的なくるくる回る回転成分が、その点の速度ベクトルの中に含まれている」ようなことはありません。その流線の曲率半径を渦の回転半径にして流れているのが実態です。

　流体力学のテキストには、小さな渦がくるくる巻きながら流れていく流れを想像させる絵や図3-15のような絵を描いて、流れの中にくるく

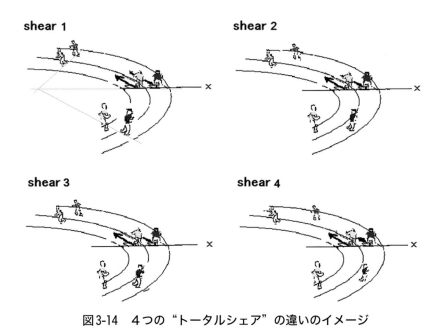

shear 1 shear 2

shear 3 shear 4

図3-14　４つの"トータルシェア"の違いのイメージ

る回る成分があることをイメージさせるような図が示されていることが
ありますが、そのような「回転成分」はありません。単に"ずれ"があ
るだけです。

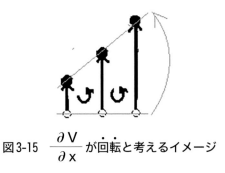

図3-15　$\dfrac{\partial V}{\partial x}$ が回転と考えるイメージ

渦巻く流れの中で回転中心からの距離を r として、r を横軸にその速

度分布を描くと"ずれ"の分布（rを横軸とした）が得られます。実際の流体の流れは、ここで見てきたような、きれいな比例や反比例の係数には成っていないと思われますが、この章で見てきたことは定性的に言うことができるはずです。

"ずれ"を「回転」と考えることは、ヘルムホルツの"うずいと"から強制されて出てきたアイディアです。ヘルムホルツのこの**瑕疵**のある"うずいと（**渦糸**）"のため、長い間流体力学が迷い道に入っており、気象学では、「速度ポテンシャル」図で、大気大循環論が誤った方向に進んでいます。

私は、ある学会で、この「渦糸」のことを「カシ」と呼んだら、会場の殆ど全員の嘲笑を受けました。今、思えば懐かしい出来事でありました。

◆同じ点で、同じベクトルを持つ４つの違うベクトル場

回転ベクトル $\mathbf{F}$ の例だけ考えても、$\nabla \cdot \mathbf{F}$ と $\nabla \times \mathbf{F}$ だけで具体的な流れ $\mathbf{F}$ は、決まりません。流れを決めるためには、「真の回転」$\dfrac{\mathbf{F}}{r}$ と「純粋な"ずれ"」$\dfrac{\partial \mathbf{F}}{\partial r}$ の両方を決める必要があります。１アンペアの直線電流が作る磁場に相当するベクトル場も100アンペアの直線電流が作る磁場に相当するベクトル場も共に $\nabla \times \mathbf{F} = 0$ になっています。

ベクトル場 $\mathbf{F}$ の任意の点のベクトル $\mathbf{F}$ は、$\nabla \cdot \mathbf{F}$ と $\nabla \times \mathbf{F}$ の両方が決まっても、$\nabla \times \mathbf{F}$ の「真の回転」と「純粋な"ずれ"」の有り様で、いろいろな組み合わせが考えられ、一意に決定できません。この点だけでも第5章で述べる「ヘルムホルツの分解定理」の間違いを指摘していることになっています。

「真の回転」と「純粋なずれ」をより深く理解するために、同じ点で、同じベクトルを持つ4つの違うベクトル場の例を見て行きましょう。

　今の流体力学の考えでは、ベクトル場の1点のベクトルが決まると、回転成分と発散成分が決まっていると考える人が多いと思いますが、1点のベクトルが決まっても、「回転成分」が確定しないことを、例をもって示したいと思います。

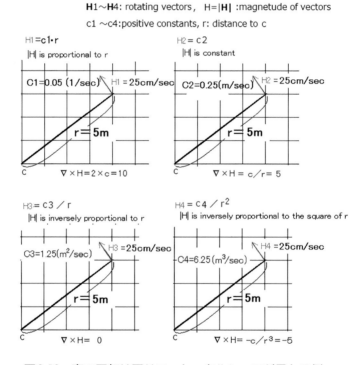

図3-16　真の回転は同じで、トータルシェアが異なる例

　先の4つの回転ベクトルの続きです。平面内で1点を中心に回転しているベクトル場の同じポイントに同じベクトルが存在するときの、4つの異なるトータルシェア（現代流体力学の言う「回転」）を示します。

　図3-16で示す図は、すべて上から見て反時計回転をしているベクトル場で、回転中心からの距離が5mの点では、速度が25cm/sになっています。

　参考のため、これらの全体のベクトル場を図3-17に示します。

　それぞれのベクトル場の特性は、基本的に図3-8で示した特性を持って、

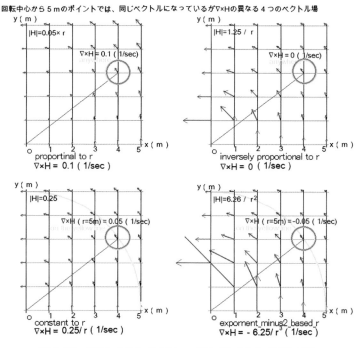

図3-17　同じベクトルでも、異なるベクトル場の例

　H1は、回転円盤上の点の動きと同じで、その大きさが回転中心からの距離 r に比例して、**H**1 = 0.05×r（m/sec）です。

$\mathbf{H2}$は、磁界と同じ性質のベクトルで、その大きさが回転中心からの距離 r に逆比例して、$\mathbf{H2} = \dfrac{1.25}{r}$（m/sec）で、与えられ、

$\mathbf{H3}$は、場所に関係なく大きさが一定で、$\mathbf{H3} = 0.25$（m/sec）で、

$\mathbf{H4}$は、その大きさが回転中心からの距離 r の2乗に逆比例していて、$\mathbf{H4} = \dfrac{6.25}{r^2}$（m/sec）で与えられています。

これらの点のいわゆる「回転」は、それぞれ、$\mathbf{H1}$では、0.1、$\mathbf{H2}$では、0、$\mathbf{H3}$では、0.05、$\mathbf{H4}$では、-0.05（1/sec）となって、1点のベクトルが決まっても、$\nabla \times \mathbf{H}$ は異なる値を取っています。

図3-8で示した、ベクトル場について「真の回転」、「純粋な"ずれ"」および「トータルシェア」を求めて一覧表にすると、表3-1のようになります。

表3-1　図3-8に示すベクトル場の「トータルシェア」

回転中心から r 離れたポイントにおける値（1/sec）

ベクトル名	$\mathbf{H1} = 0.05 \times r$	$\mathbf{H2} = 1.25/r$	$\mathbf{H3} = 0.25$	$\mathbf{H4} = 6.25/r^2$
ベクトルタイプ	回転円盤	磁界タイプ	一定	2乗に反比例
真の回転	0.05	$1.25/r^2$	$0.25/r$	$6.25/r^3$
純粋な"ずれ"	0.05	$-1.25/r^2$	0	$-12.5/r^3$
トータルシェア	0.1	0	$0.25/r$	$-6.25/r^3$

トータルシェアとは、$\nabla \times \mathbf{F}$ で与えられ、従来の回転に当たる

また、図3-16に示した回転中心から5mのポイントで25cm/secで回転しているベクトル場に関しては、表3-2のようになります。

表3-2　5 m ポイントにおける「トータルシェア」

回転中心から5 m のポイントにおける値（1/sec）

ベクトル名	H1 = 0.05 × r	H2 = 1.25/r	H3 = 0.25	H4 = 6.25/r^2
ベクトルタイプ	回転円盤	磁界タイプ	一定	2乗に反比例
真の回転	0.05	0.05	0.05	0.05
純粋な"ずれ"	0.05	−0.05	0	−0.1
トータルシェア	0.1	0	0.05	−0.05

トータルシェアとは、$\nabla \times \mathbf{F}$ で与えられ、従来の回転に当たる

　これらのベクトル場は、すべて上から見て反時計回転をして円周上を回るベクトルの場になっており、中心から5 m 離れた場所では、4 例ともすべて同じ速度25 cm/sec を持っていて、その「**真の回転**」は、全部同じ値になっています。

　しかし、4つのベクトル場は、"ずれ"が異なるベクトル場になっており、「**純粋な"ずれ"**」の大きさはすべて異なった値となっているため、当然のことながら、「**トータルシェア**」も異なっています。

　これらの実例は、従来の「$\nabla \times \mathbf{H}$」が回転であるとの考えでは、まったく説明ができませんが、極座標による3-1）式を用いた、「**トータルシェア**」の考え方をもってすれば、流体の速度場を矛盾無く、正しく解析することができます。

　現代流体力学では、ベクトル場の一点のベクトルが決まると、回転成分と発散成分が決まっていると言うことがありますが、ここで示したように、一点のベクトルが決まっても、空間分布特性である、「発散」や「回転」は決めることができず、「発散成分」や「回転成分」が決まる筈はありません。

　空間の分布特性である「発散」や「回転」が、一点の値だけで決まる

ことは、絶対にありません。飛んでいる矢、の話を思い出して下さい。

　英文 Wikipedia の｛Helmholtz Decomposition｝の記事等でも、一点の
ベクトルだけで「発散成分」や「回̇転̇成分」が決まっているような記述
を見ますが、ここでの例で見てきたように、"ずれ"の有りようで、そ
の場のいわゆる「回̇転̇成̇分̇」、私の言う「トータルシェア」が異なって
きます。

　今後、一点のベクトルだけで、二つの成分「発散成分」と「回̇転̇成
分」が決まっているということを聞いた場合、この例を思い出して下さ
い。

第4章 | 現代流体力学における「回転」について

　私が「トータルシェア」と言っている数量∇×**F**を、今の流体力学などでは、「回転」と呼んでいます。テキストにどのように記載されているか、私の学んできたいくつかのテキストを見てみましょう。

　はじめに今井功先生の『流体力学（前編）24版』（裳華房）によると、先生は、流れのベクトル場 **V** を、べき級数展開し、10種類の運動に展開され、そのうち6種が「回転」と「ずれ」を記述しているとされています。この6種のずれは、図3-7に示している6種の"ずれ"のことで、「回転」と「うず」を示しているとおっしゃっています。回転とうずから成っているとの考え方は、私も同じ考えですが、そのうち、回転の解説には、図4-1のような図が示されています。

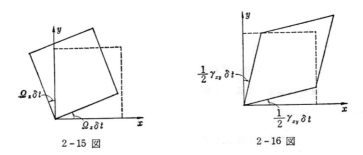

2-15 図　　　　　　　　2-16 図

図4-1　今井功先生による回転とずれ

図4-1の左図は、x-y平面の回転だけを記述したもので、

$$\Omega_z = \frac{1}{2}\left(\frac{\partial v}{\partial x} - \frac{\partial u}{\partial y}\right)$$

の角速度を持った回転をしていると説明されています。$\frac{\partial v}{\partial x}$ が底辺に

当たる部分の回転、$-\dfrac{\partial u}{\partial y}$ が左辺に当たる部分の回転に相当し、これらの平均の回転で"固体"として回転するという意味の式です。

　偉い先生が言うのだから間違いで無いと考えるのが普通かもしれませんが、別の偉い先生が「テキストを疑いなさい」とも言われています。

　図4-1の左図の回転が理解できますか？　固体として回転するとしたら、$\dfrac{\partial v}{\partial x}$ と、$-\dfrac{\partial u}{\partial y}$ とは同じ値になるはずです。両者を足して2で割れば良いというものではありません。都合の良いときは、固体と考え、別の都合の時は、固体の概念を壊して、足して2で割れば良いというのは、科学としていかがなものでしょうか。

　更に渦度 ω を導入され、z 成分（すなわち、x-y 平面だけの回転）だけ記述すると、

$$\Omega_z = \frac{1}{2} \cdot \left(\frac{\partial v}{\partial x} - \frac{\partial u}{\partial y} \right) = \frac{1}{2} \cdot \omega_z$$

となり、図4-1の長方形で示された微少部分の回転角速度はその場の渦度 ω の $\dfrac{1}{2}$ になっていると説明されています。渦度がその場の回転角速度の $\dfrac{1}{2}$ というのは、これで良いのでしょうか。逆に言えば、回転角速度は、その場の渦度の2倍になっていると言っています。回転とは何なんでしょうか。渦度とは何なんでしょうか。回転と渦度は、私は同じであるべきと思います。

　渦度とは、その点の微小部分の回転角速度そのものでは無いのでしょうか。今の流体力学での常識を私は疑っています。第3章で見てきた、「真の回転」で考える方がすっきりと理解できませんか？

　次に、流体力学のテキストとして日野幹雄先生の『流体力学』（朝倉書店）からその「図1.9　微小流体要素の回転」を示しますと、

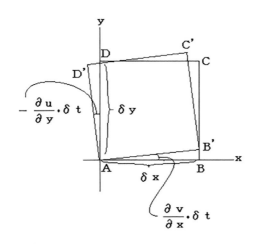

この四辺形の平均の角速度Ωは、

$$\Omega = 1 / 2 \left(\frac{\partial v}{\partial x} - \frac{\partial u}{\partial y} \right)$$

図4-2　日野幹雄先生が示した「微小流体要素の回転」

　日野先生も微小流体要素と呼んで、流体のエレメントを固形物として扱っています。ただし、細かいことを言うと、今井先生の回転の図は、完全に長方形が固定して回転していますが、日野先生の図は、辺ABは、回転しても元の長方形の辺BC上を進んでいます。これは、底辺の回転 $\frac{\partial V}{\partial x}$ を正確に "ずれ" として描いた結果だと思います。$\frac{\partial V}{\partial x}$ はあくまでも "ずれ" だけですので、B点がBC辺から離れることはありません。それを正確に描かれたものと思いますが、そうすると、D点の移動したD′点は辺CDの延長線上に来るべきです。

　このテキストも今井先生のテキストと全く同じ問題があります。固体としての回転を言いながら、底辺の回転と左辺の回転が同じことの証明

が出来ていません。

　日野先生も、今井先生と同じく、この局所部分の角速度は、渦度の $\frac{1}{2}$ としています。これは、現代の流体力学の常識を踏襲しているので、当然かもしれません。渦度と角速度は同じであるべきと私は考えます（第3章の真の回転を参照）。

　次に、巽友正先生の『流体力学』（培風館）によると、

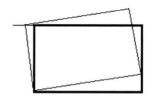

渦度による局所回転

図4-3　『流体力学』P. 24「ひず
み速度による局所変化」

　巽友正先生の『流体力学』でも、図4-3のような「渦度による局所回転」を示して、「したがって直方体はその大きさと形を変えること無く、あたかも剛体であるかのように……」などと、書かれています。この図で回転した直方体が大きさを変えていないとは思えません。

　この図は、“回転した”直方体の角を元の直方体の辺上に描いていますので、$(\nabla \times \mathbf{F})$ が「ずれ」であることに注目していることが分かります。その点は評価できますが、回転で大きさが変わっていることに目をつぶって、「剛体的に回転している」とするのはこの中に既に矛盾が含まれています。

　そのほか、ネットの「物理のかぎしっぽ」のベクトルの回転の説明で

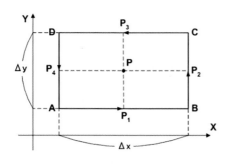

$$V(P_1) = V - \frac{1}{2}\frac{\partial V(P)}{\partial y}\Delta y + o(\Delta y^2) \qquad (2\text{-}1)$$

$$V(P_2) = V + \frac{1}{2}\frac{\partial V(P)}{\partial x}\Delta x + o(\Delta x^2) \qquad (2\text{-}2)$$

$$V(P_3) = V + \frac{1}{2}\frac{\partial V(P)}{\partial y}\Delta y + o(\Delta y^2) \qquad (2\text{-}3)$$

$$V(P_4) = V - \frac{1}{2}\frac{\partial V(P)}{\partial x}\Delta x + o(\Delta x^2) \qquad (2\text{-}4)$$

ただし，ここで V は滑らかで，必要なだけ微分可能な関数だとしています．
この結果を使って，閉曲線 $ABCD$ に沿った流れ成分の総和（一周）を考えます．

$$\lim_{\Delta S \to 0}\frac{\vec{AB}\cdot V(P_1) + \vec{BC}\cdot V(P_2) + \vec{CD}\cdot V(P_3) + \vec{DA}\cdot V(P_4)}{\Delta S} = \frac{\partial V_y(P)}{\partial x} - \frac{\partial V_x(P)}{\partial y}$$

図4-4　ネット「物理のかぎしっぽ」による「回́転́」の計算

は、図4-4のように流体の微少部分を一つのセルとして、取り上げ、

$$回́転́量 = \frac{\partial V}{\partial x} - \frac{\partial U}{\partial y}$$

と回́転́量を取り出しています。回転量としての説明では、文句の無い
説明のように見えますが、この説明も V と U の"ずれ"を、無理矢理
回転にもって行っています。というのは、局所微分 $\frac{\partial V}{\partial x}$ は V 成分の x
方向のずれですが、長方形の左辺の速度を下向きに描いて、回́転́してい
るイメージを無理に出そうとしています。

　この説明に限りませんが、総ての現代の流体力学のテキストは、回́転́
のイメージを説明するときに、局所部分を一つの長方形のセルとして取
り上げ、そのセルだけの回転を考えていますが、流体粒子はすぐ隣にも
同じようなセルが存在していることを忘れてはいけません。

　この例で言えば、すぐ右側のセルも同じ絵の中に描くとどうなるで

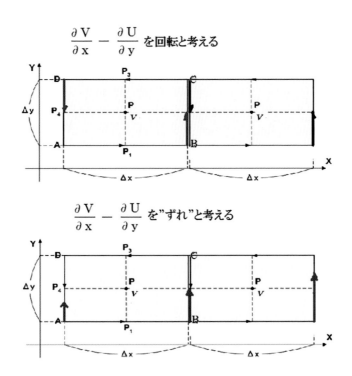

$$\frac{\partial V}{\partial x} - \frac{\partial U}{\partial y} \text{ を回転と考える}$$

$$\frac{\partial V}{\partial x} - \frac{\partial U}{\partial y} \text{ を”ずれ”と考える}$$

流体の局所の運動をセルで考えるとき、近傍のセルとの矛盾があってはならない

図4-5　$\dfrac{\partial \dot{V}}{\partial x}$ は回転では無く、単なる“ずれ”

しょうか。

　図4-5は、上の図が $\dfrac{\partial \dot{V}}{\partial x}$ を回転の一成分と考える場合であり、下の図は単なる“ずれ”と考える場合です。上の図では辺 BC の流れが左のセルと右のセルでは流れの方向が逆になっています。左側のセルのためには上向きに、右側のセルのためには下向きに流れないといけません。

　図4-4の作者は、それぞれのセルの中心速度との差だから、それぞれ

のセルで考えて、図4-5の上の図でも問題ないと主張するでしょうが、回転で無く、単なる“ずれ”のあるセルの並びである下の図で何の問題も無いのに、「差の流れ」がぶつかるような、流れを無理に描く必要はありません。

　実際、今の流体力学では、「回転」に意味を持たせており、セルは回転していることを前提にしています。回転では無く、単なる“ずれ”と考えて、この図の作者の意図することは言えます。無理にぐるぐる回す必要は全くありません。

　隣のセルとの回転による「こすれ」の問題は、他の総ての流体力学のテキストで、回転を説明する時に見られる矛盾です。その部分だけのことを考えて「回転」を考えていますが、流体の微少なセルとして長方形を考えるなら、隣のセルとの矛盾の無いモデルを考えるべきです。

　かくのごとく、現代の流体力学の言う「回転」には、おかしなところがいっぱいです。

　このような流体の微少部分の「回転」運動はヘルムホルツの“うずいと”の考え方に端を発しています。“うずいと”とは、流体の運動は、流体の微少部分に渦が存在し、その渦は回転を上下で共通にするため、渦の糸のような構造ができていて、その渦成分、流れの中の回転＝渦を作るというヘルムホルツの考えです。

　殆ど同時期に、マクスウェルは、磁場をヘルムホルツの“うずいと”と同じように、回転するセルと考えましたが、マクスウェルは、この“こすれ”の問題を解決すべく、一つのアイディアを出して解決しようと努力の跡が見られますが、ヘルムホルツは、この点に全く、無頓着でした（後述の「第6章　ベクトル場の考え方の歴史」を参考にしてください）。

"うずいと"の考え方は、今の流体力学では、「常識」になっている考え方で、ネットにたくさんの人が、たくさんのイメージをアップされています。ここに挙げさせてもらいたいところですが、作者の意匠登録をされていそうな芸術作品ばかりで、勝手に盗用してもいけませんので、皆さんで、「うずいと」and「イメージ」で検索してみてください。

第5章 | ヘルムホルツの分解定理について

　ヘルムホルツの分解定理とは、「ベクトル場の任意のベクトルは、発散のみの成分と回転のみの成分に分解することができ、発散のみのベクトル場から速度ポテンシャルが、回転のみのベクトル場からはベクトルポテンシャル（流線関数）が得られる」という定理です。

　例えば、英文 Wikipedia によると、ベクトル場 **F** の任意の点のベクトルは、

$$\mathbf{F} = -\nabla \mathbf{\Phi} + \nabla \times \mathbf{A},$$

where

$$\mathbf{\Phi}(\mathrm{r}) = \frac{1}{4\pi} \int_v \frac{\nabla' \cdot \mathrm{F}(r')}{|r-r'|} \, dV' - \frac{1}{4\pi} \oint_s \hat{n}' \cdot \frac{\mathrm{F}(r')}{|r-r'|} \, dS'$$

$$\mathbf{A}(\mathrm{r}) = \frac{1}{4\pi} \int_v \frac{\nabla' \times \mathrm{F}(r')}{|r-r'|} \, dV' - \frac{1}{4\pi} \oint_s \hat{n}' \times \frac{\mathrm{F}(r')}{|r-r'|} \, dS'$$

　のように、その場に与えられるスカラー関数 **Φ** とベクトル関数 **A** の空間微分を用いて、右辺第 1 項の発散風$-\nabla \mathbf{\Phi}$と回転風$\nabla \times \mathbf{A}$に分解されるとされています。

　しかし、この式には不備があります。

　もしも、ベクトル **F** が、$\nabla \cdot \mathbf{F}$と$\nabla \times \mathbf{F}$に共通に働く成分を持っていると、この式は正しいでしょうか。

　元のベクトル場 **F** から$\nabla \cdot \mathbf{F}$も$\nabla \times \mathbf{F}$も計算することはできます。しか

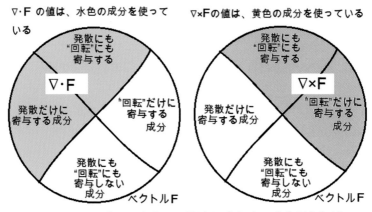

図5-1　その点のベクトルに両方に寄与する成分があれば

し、それらの分布から得られるスカラー関数 **Φ**、ベクトル関数（流線関数）**A** を用いて得られる合成ベクトルは、図5-1に示すような両方に寄与する成分があれば、元のベクトルと一致はしません。

　この式だけから分解定理を正しいと言う為には、元のベクトルの中に「発散にも回転にも寄与する成分は無い」ことを示しておく必要があります。

　ところが、逆に「両方に寄与する成分」があることは、例えば、曲座標で発散を求める式と回転を求める式を見るだけでわかります。例えば、次の URL によって示されているこれらの式は（https://risalc.info/src/polar-coordinate-field-summary.html#rot より）、

　ベクトル場 **E** の発散∇・**E** の極座標系での表現は、

$$\nabla \cdot \mathbf{E} = \frac{1}{r^2}\frac{\partial}{\partial r}(r^2 \mathrm{E}_r) + \frac{1}{r\sin\theta}\frac{\partial}{\partial \theta}(\sin\theta \mathrm{E}_\theta) + \frac{1}{r\sin\theta}\frac{\partial \mathrm{E}_\phi}{\partial \phi}$$

　ベクトル場 **E** の回転∇×**E** を極座標系 (r, θ, ϕ) で表すと、

$$\nabla \cdot \mathbf{E} = \mathbf{e}_r \frac{1}{r\sin\theta} \left\{ \frac{\partial}{\partial \theta}(\mathrm{E}_\phi \sin\theta) - \frac{\partial \mathrm{E}_\theta}{\partial \phi} \right\}$$

$$+ \mathbf{e}_\theta \frac{1}{r} \left\{ \frac{1}{\sin\theta} \frac{\partial \mathrm{E}_r}{\partial \phi} - \frac{\partial}{\partial r}(r\mathrm{E}_\phi) \right\}$$

$$+ \mathbf{e}_\phi \frac{1}{r} \left\{ \frac{\partial}{\partial r}(r\mathrm{E}_\theta) - \frac{\partial \mathrm{E}_r}{\partial \theta} \right\}$$

というふうに、$\mathbf{E}_r$、$\mathbf{E}_\theta$、$\mathbf{E}_\varphi$ のどの独立変数も両者に寄与しています。

　現金1,000万円と、土地家屋合わせて5,000万円の財産を長男と次男に残して、親が亡くなりました。「現金は二人で分けなさい、土地家屋は、二人で仲良く共同財産にしなさい」、との遺言が残されていました。

　長男、次男ともに「親が、遺産5,500万円を自分に残してくれた」と喜んでいます、というようなことを、ヘルムホルツの分解定理は示しています。

　これだけでも、ヘルムホルツの分解定理は間違っていると言うことができますが、いろいろな考えの方からご意見をお伺いしていますので、もう少し、基本的な議論から始めてみたいと思います。

◆ベクトルとポテンシャルについて

　一度、この定理から離れて、ベクトルとポテンシャルについて、確認しておきたいと思います。

　今のベクトル解析学を学んでいる人の多くが「ベクトル場」と「ポテンシャル場」の違いを正確に理解しておらず、すべてのベクトル場にポ

テンシャルがついてくる、と思っているようですが、ベクトル場にポテンシャルが存在するためには、数学的に必要な条件が存在します。

$\nabla \times \mathbf{F}$ は、従来の流体力学では、単なる「回転」と呼んでいましたが、既に第3章でお話ししたとおり、これは「トータルシェア」で、「真の回転」と「純粋なずれ」を合わせた値です。この値が0の場合には、ポテンシャルが存在することが数学的に保証されています。

◆「トータルシェア」の無い流れ

2次元のベクトル場 $\mathbf{F}$ で、「トータルシェア」；$\nabla \times \mathbf{F}$ が0であるベクトル場を考えてみます。これまでの流体力学を学んできた人には、この「トータルシェア」という言葉に馴染みがないと思いますが、頭の中で"今までの「回転」のことだな"、と思いながら読んでいただければ良いと思います。しつこく言います。本当は「回転」ではなく、「全"ずれ"」＝「トータルシェア」です。

ベクトル $\mathbf{F}$ の x 軸成分を U、y 軸成分を V とすると、「トータルシェア」；$\nabla \times \mathbf{F}$ は、$\dfrac{\partial v}{\partial x} - \dfrac{\partial u}{\partial y}$ で表されますので、この条件 $\nabla \times \mathbf{F} = 0$、のある流れの場は、$\dfrac{\partial v}{\partial x} - \dfrac{\partial u}{\partial y} = 0$ を満たしています。

書き直すと $\dfrac{\partial v}{\partial x} = \dfrac{\partial u}{\partial y}$ となります。

この式は、あるスカラー関数 χ が存在し、その χ の全微分が $u \cdot \mathrm{d}x + v \cdot \mathrm{d}y$ であるための必要十分条件になっています。

つまり、$\dfrac{\partial v}{\partial x} - \dfrac{\partial u}{\partial y} = 0$ を満たしていると、$\mathrm{d}\chi = u \cdot \mathrm{d}x + v \cdot \mathrm{d}y$ となる χ が存在します。

　一般に全微分とは考えられる方向の全ての方向の偏微分にその方向の微少変化量をかけた値の総和で表されますから、２次元の場合は、

$$d\chi = \frac{\partial \chi}{\partial x} \cdot dx + \frac{\partial \chi}{\partial y} \cdot dy$$　です。

　従って、「トータルシェア」が０の流れの成分は、関数 χ を用いて、

$$u = \frac{\partial \chi}{\partial x}$$

$$v = \frac{\partial \chi}{\partial y}$$

と表すことが出来ます。

　したがって、$\nabla \times \mathbf{F} = 0$ の流れ $\mathbf{F}$ については、スカラー関数 χ が存在し、その χ の傾きがその場の速度を示しているので、この χ を「速度ポテンシャル」と呼んでいます。

　つまり、$\frac{\partial v}{\partial x} = \frac{\partial u}{\partial y}$ の式は、ある関数 χ がポテンシャルとして存在し、その全微分が $u \cdot dx + v \cdot dy$ であるための必要十分条件になっていますので、ベクトル場 $\mathbf{F}$ の「トータルシェア」；$\nabla \times \mathbf{F}$ がゼロであることは、その流れに速度ポテンシャルが存在するための必要十分条件となっています。

　したがって、逆もまた真なりで、

> 「トータルシェア $\nabla \times \mathbf{F}$」$\neq 0$ の場合は、速度ポテンシャルは存在しません。

◆発散の無い流れ

　u、vをそれぞれ直交するx軸方向とy軸方向の速度成分とすると発散量は、$\dfrac{\partial u}{\partial x} + \dfrac{\partial v}{\partial y}$ で表されます。

　発散の無い流れは、領域内の各点で発散量 $= \dfrac{\partial u}{\partial x} + \dfrac{\partial v}{\partial y} = 0$ となります。この式は書き直すと、

$$\frac{\partial u}{\partial x} - \frac{\partial(-v)}{\partial y} = 0$$

と書くことができます。

　書き直すと、$\dfrac{\partial u}{\partial x} = \dfrac{\partial(-v)}{\partial y}$ となります。

　この式は、ある関数が存在し、その全微分が $(-v) \cdot \mathrm{d}x + u \cdot \mathrm{d}y$ であるための必要十分条件です。その関数を α とすると、$\mathrm{d}\alpha = -v \cdot \mathrm{d}x + u \cdot \mathrm{d}y$ と書くことが出来ます。

　一般に全微分とは考えられる方向の全ての方向の偏微分にその方向の微少変化量をかけた値の総和で表されますから、今の場合、2次元（x, y）で考えますと、$\mathrm{d}\alpha = \dfrac{\partial \alpha}{\partial x} \cdot \mathrm{d}x + \dfrac{\partial \alpha}{\partial y} \cdot \mathrm{d}y$ となります。したがって、発散のない流れの各座標成分は関数 α を用いて、

$$-v = \frac{\partial \alpha}{\partial x}$$

$$u = \frac{\partial \alpha}{\partial y}$$

と表すことが出来ます。

ここで、スカラー $\alpha\,(x, y)$ の分布そのものはスカラー量ですが、ベクトル $\mathbf{A}\,(x, y, z)$ の各成分が、

x 成分 $= \mathbf{A}_x = \mathrm{C}$、
y 成分 $= \mathbf{A}_y = \mathrm{C}$、
z 成分 $= \mathbf{A}_z - \alpha$

であるベクトルを考えますと（C は定数）、

$$\nabla \times \mathbf{A} = \begin{vmatrix} \mathbf{i} & \mathbf{j} & \mathbf{k} \\ \dfrac{\partial}{\partial x} & \dfrac{\partial}{\partial y} & \dfrac{\partial}{\partial z} \\ \mathrm{C} & \mathrm{C} & \alpha \end{vmatrix}$$

$$= (\frac{\partial \alpha}{\partial y} - \frac{\partial \mathrm{C}}{\partial z})\mathbf{i} + (\frac{\partial \mathrm{C}}{\partial z} - \frac{\partial \alpha}{\partial x})\mathbf{j} + (\frac{\partial \mathrm{C}}{\partial x} - \frac{\partial \mathrm{C}}{\partial y})\mathbf{k}$$

$$= \frac{\partial \alpha}{\partial y}\mathbf{i} - \frac{\partial \alpha}{\partial x}\mathbf{j} = u\mathbf{i} + v\mathbf{j}$$

（ベクトル A は、x、y 成分が定数で、z 成分が流線関数であるようなベクトル）

となります。
この **A** を流線関数（ベクトルポテンシャル）と呼ぶことにします。

流れに発散が無ければ（$\frac{\partial u}{\partial x} + \frac{\partial v}{\partial y} = 0$）、その流れの成分が $(-v = \frac{\partial \alpha}{\partial x}$、$u = \frac{\partial \alpha}{\partial y})$ で与えられるような関数 α が存在します。

また、逆に発散がある流れには、上のような流線関数と呼ぶことのできる関数が存在しないことも言えるので、

> 流れに発散があれば（$\dfrac{\partial u}{\partial x} + \dfrac{\partial v}{\partial y} \neq 0$）、その微分が流れを表すような関数、すなわち流線関数（ベクトルポテンシャル）は存在しません。

◆ 流れの場の分類

　以上の二つの流れの特性とポテンシャルの存在条件の検討から、「流れの場」を次の4つに分類する事ができます（図5-1は一般的なベクトル場のベクトルの成分の分類でしたが、ここでは、ベクトル場そのものをその性質から4つに分類しています）。

　1つ目は、流れの中に「トータルシェア」も「発散」も無い流れで、これには速度ポテンシャルと流線関数が共に存在します。

　2つ目は、「トータルシェア」のみがあって、「発散」の無い流れの場合で、これには流線関数のみが存在します。

　3つ目は、「発散」のみがあって「トータルシェア」の無い流れの場合で、これには速度ポテンシャルのみが存在します。

　4つ目は「トータルシェア」と「発散」が共に有る場合で、これには流線関数も速度ポテンシャルも存在しません。従って、流れに「トータルシェア」と「発散」のある場合は、流線関数と速度ポテンシャルを用いた元のベクトルの分解は不可能で、分解することは出来ません。

　ここで、ベクトルの分解とは、分解された二つのベクトルは、互いに

直交しており、分解された二つのベクトルを合成すると、元のベクトルに戻せるような分解を言います。

このことを図に示しますと図5-2のようになります。

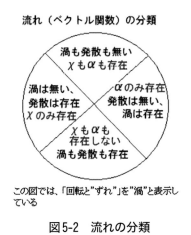

流れ（ベクトル関数）の分類

渦も発散も無い
χもαも存在

渦は無い、
発散は存在
χのみ存在

αのみ存在
発散は無い、
渦は存在

χもαも
存在しない
渦も発散も存在

この図では、「回転と"ずれ"」を"渦"と表示している

図5-2　流れの分類

　流れに「トータルシェア」（従来の「回転」）と「発散」のある場合は、流線関数と速度ポテンシャルを用いた元のベクトルの分解は不可能で、分解することは出来ないと言いましたが、ベクトル場 **F** があれば、$\nabla \cdot \mathbf{F}$ を求め、発散の分布から「発散だけの成分」を、また $\nabla \times \mathbf{F}$ から「トータルシェア」の分布を求めることができます。

　その「トータルシェア」の分布から「トータルシェアだけの成分」を取り出し、「トータルシェア」だけの成分の流れを取り出すことができますが、「発散」を求める元の流れベクトルと「トータルシェア」を求める流れベクトルにはどちらにも共通に働く成分があって、それら成分のベクトルは互いに直交していませんし、成分同士を合成しても元のベクトルにはなっていません。

　分解したベクトル成分同士を合成して、元に戻らなくても良い「分

解」ならできますが、それらのベクトルには何の意味もありません。

　往々にして、発散だけの成分だから、その成分の検討だけで「元のベクトルの発散量」が取り出せると誤解していますが、「回転成分だけ」の成分に元のベクトルの「発散成分」も組み込まれて計算されていることを忘れてはなりません。

　以上のように、数学的な基礎理論からベクトル場とポテンシャルの存在について言えば、ベクトル場に、発散と“トータルシェア”が共にある場合は、速度ポテンシャルも流線関数（ベクトルポテンシャル）も存在できなくなるので、速度ポテンシャルと流線関数（ベクトルポテンシャル）の存在を前提にした分解は不可能で、ヘルムホルツの分解定理は、数学的基礎理論により否定されることになります。

　ところが、日本の一流の大学の先生から、

「……は、渦度と発散のどちらかがゼロの時にポテンシャルが存在することを証明しただけで、両方ともゼロで無いときにポテンシャル（スカラーとベクトルポテンシャルの和）が存在しないことを証明したわけではありません」と言われました。

「トータルシェアがゼロであることが、速度ポテンシャルが存在するための必要十分条件」であることと、「発散がゼロであることがベクトルポテンシャルが存在するための必要十分条件」であることは、数学的に言えることで、その場合、流れにトータルシェアと発散があると、速度ポテンシャルもベクトルポテンシャルも存在しません。このことは、流れを容器で例えてお話しすると、よく分かります。

　流れの場を容器に例えます。しばらく「トータルシェア」のことをここだけですが彼らの言葉に従って「回転」と呼びます。図5-3を見なが

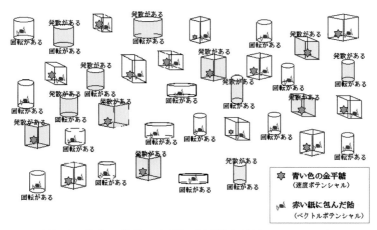

図5-3　黄色で筒状の容器に金平糖と飴は入っているか

ら考えてください。

　色は、黄色（発散あり）か、白（発散なし）の２種類だけです。そして、白い容器には赤い紙で包んだ飴（ベクトルポテンシャル＝流線関数）が入っていますが、黄色い容器には飴は入っていません。

　また、形は、円柱型の容器（回転が有る）か角柱型の容器（回転が無い）の２種類です。そして、角柱の容器には青い金平糖（速度ポテンシャル）が入っていますが、円柱型の容器には金平糖は入っていません。

　色が黄色で、円柱型の容器（発散があって、回転のある流れ）には、図5-3に示すように、赤い紙に包んだ飴も青い金平糖も入っていません。

　こんな簡単な例を見ても、「発散とトータルシェア（現代流体力学で言う回転）がともに０で無い流れの場には、「速度ポテンシャル」も「流線関数」も存在しないことは明瞭です。

◆ヘルムホルツの分解定理の幾何学的証明

　しかし、一般的には、ヘルムホルツの分解定理は正しいものと信じられており、その根拠と言われている数式があります。それは、ベクトル3重積の公式と呼ばれている数式です。

　ベクトルの3重積とは、3つのベクトル **D**、**E**、**F** があったとき、

$$\mathbf{D} \times (\mathbf{E} \times \mathbf{F}) = (\mathbf{D} \cdot \mathbf{F})\mathbf{E} - (\mathbf{D} \cdot \mathbf{E})\mathbf{F} \cdots\cdots\cdots 5\text{-}1)$$

というベクトルの公式です。

　このベクトル3重積の公式の **D**、**E** の代わりにベクトル **B** を、**F** の代わりに **C** を代入した、

$$\mathbf{B} \times (\mathbf{B} \times \mathbf{C}) = (\mathbf{B} \cdot \mathbf{C})\mathbf{B} - (\mathbf{B} \cdot \mathbf{B})\mathbf{C} \cdots\cdots\cdots 5\text{-}2)$$

について、検討してみましょう。

　このベクトルの分解については、新潟工科大学情報電子工学科竹野茂治先生の「ベクトル三重積の公式の証明について」（2009年5月21日）[※1]を用いさせて頂き、竹野先生の記事をイメージしやすいように絵にしてみました。先生には感謝申し上げます。以下に竹野先生の記事を掲載させて頂きます。

　　B と **C** は 0 ではなく平行でもないから、**C** を **B** に平行な方向と **B**

※1　http://takeno.iee.niit.ac.jp/~shige/math/lecture/misc/data/exterior1.pdf#search=%27%E3%83%99%E3%82%AF%E3%83%88%E3%83%AB3%E9%87%8D%E7%A9%8D+%E8%A8%BC%E6%98%8E%27

に垂直な方向の2つのベクトルの和に分けて、

$$\mathbf{C} = a\mathbf{B} + \mathbf{F}, \quad \mathbf{B} \perp \mathbf{F} \tag{10}$$

とすると、

$$\mathbf{B} \cdot \mathbf{C} = \mathbf{B} \cdot (a\mathbf{B} + \mathbf{F}) = a|\mathbf{B}|^2$$

より、

$$a = \frac{\mathbf{B} \cdot \mathbf{C}}{|\mathbf{B}|^2} \tag{11}$$

となる。また、

$$\mathbf{B} \times \mathbf{C} = \mathbf{B} \times (a\mathbf{B} + \mathbf{F}) = \mathbf{B} \times \mathbf{F}$$

となるので、これを $\mathbf{G}$ とすると、$\mathbf{B}, \mathbf{F}, \mathbf{G}$ は右手系の互いに直交するベクトルで、よって、

$$\mathbf{B} \times (\mathbf{B} \times \mathbf{C}) = \mathbf{B} \times \mathbf{G} = -k_3\mathbf{F} \quad (k_3 > 0) \tag{12}$$

と書けることになる。この両辺の大きさを考えると、

$$|\mathbf{B} \times \mathbf{G}| = |\mathbf{B}||\mathbf{G}| = |\mathbf{B}||\mathbf{B} \times \mathbf{F}| = |\mathbf{B}|^2|\mathbf{F}|,$$

$$|k_3\mathbf{F}| = k_3|\mathbf{F}|$$

なので $k_3 = |\mathbf{B}|^2$ となり、よって（12）より、

$$\mathbf{B} \times (\mathbf{B} \times \mathbf{C}) = \mathbf{B} \times (\mathbf{B} \times \mathbf{F}) = -|\mathbf{B}|^2\mathbf{F} \tag{13}$$

が言える。これに $\mathbf{F} = \mathbf{C} - a\mathbf{B}$ を代入すれば、

$$-|\mathbf{B}|^2\mathbf{F} = -|\mathbf{B}|^2(\mathbf{C} - a\mathbf{B}) = -|\mathbf{B}|^2\mathbf{C} + a|\mathbf{B}|^2\mathbf{B} = -|\mathbf{B}|^2\mathbf{C} + (\mathbf{B} \cdot \mathbf{C})\mathbf{B}$$

となって、よって（13）より（9）が言えたことになる。
さらに、（9）の $\mathbf{B}$ と $\mathbf{C}$ を交換すれば、

$$\mathbf{C} \times (\mathbf{C} \times \mathbf{B}) = (\mathbf{B} \cdot \mathbf{C})\mathbf{C} - |\mathbf{C}|^2\mathbf{B} \tag{14}$$

が成り立つこともわかる。

　以上が竹野先生の記事ですが、この中の（9）式は前頁の5-2）式と同じ式です。
　竹野先生の記事を参考にさせて頂いて、図5-4をご覧下さい。

　竹野先生は、はじめに、ベクトル $\mathbf{C}$ をベクトル $\mathbf{B}$ 方向の成分と直交する成分 $\mathbf{F}$ に分解し、$\mathbf{C} = a\mathbf{B} + \mathbf{F}$ としています。続いて、$\mathbf{B} \times \mathbf{C} = \mathbf{B} \times \mathbf{F} = \mathbf{G}$、となるような $\mathbf{G}$（図の緑の矢印）を導入し、

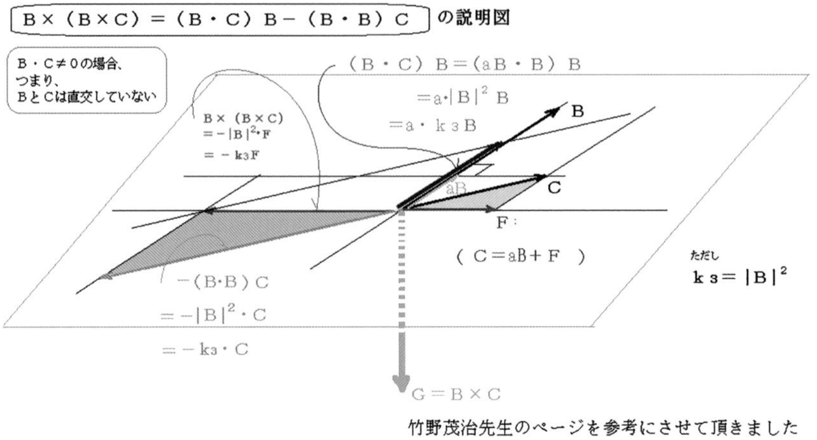

図5-4　同じベクトルを含むベクトル3重積の分解

$$\mathbf{B}\times\mathbf{G} = \mathbf{B}\times(\mathbf{B}\times\mathbf{F}) = \mathbf{B}\times(\mathbf{B}\times\mathbf{C}) = -|\mathbf{B}|^2\mathbf{F}、$$

として、3重積 $\mathbf{B}\times(\mathbf{B}\times\mathbf{C})$ が $-k_3\mathbf{F}$ となることを導きます（$k_3 = |\mathbf{B}|^2$）。

これは、図の赤い矢印で示すように、$\mathbf{C}$ の $\mathbf{B}$ と直交する成分 $\mathbf{F}$ の k_3 倍の大きさで反対方向を向いていることになります。

一方、$(\mathbf{B}\cdot\mathbf{C})\mathbf{B}$ は、

$$(\mathbf{B}\cdot\mathbf{C})\mathbf{B} = (\mathbf{B}\cdot a\mathbf{B})\mathbf{B} = a|\mathbf{B}|^2\mathbf{B} = k_3\cdot a\mathbf{B}$$

となり、$\mathbf{B}$ 方向で $a\mathbf{B}$ の k_3 倍の大きさであることが分かります（図5-4で茶色の矢印）。

続いて、$-(\mathbf{B}\cdot\mathbf{B})\mathbf{C}$ は、

$$-(\mathbf{B}\cdot\mathbf{B})\mathbf{C} = -|\mathbf{B}|^2\mathbf{C} = -k_3\mathbf{C}$$

（図で橙色の矢印）となります。

図5-4で示したベクトルを平面の真上から見た図を図5-5に示します。

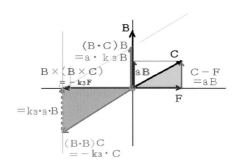

図5-5　ベクトル3重積 B×(B×C) の解説図

図5-5に示されるように、$(\mathbf{B}\cdot\mathbf{C})\mathbf{B}$ の大きさは、$a\mathbf{B}$ の k_3 倍です。

　一方、$a\mathbf{B}$ の大きさは、図5-5で水色の三角形の1辺（$\mathbf{C}\text{–}\mathbf{F}$）の大きさに等しく、ピンクの三角形は、水色の三角形の k_3 倍の相似形になっていますので、$\mathbf{B}\times(\mathbf{B}\times\mathbf{C})$ と $(\mathbf{B}\cdot\mathbf{B})\mathbf{C}$ のベクトルの差が $a\mathbf{B}$ の k_3 倍になっています。

　従って、$(\mathbf{B}\cdot\mathbf{C})\mathbf{B} = \mathbf{B}\times(\mathbf{B}\times\mathbf{C}) - (\mathbf{B}\cdot\mathbf{B})\mathbf{C}$ が成り立ちます。ここにベクトル3重積 $\mathbf{B}\times(\mathbf{B}\times\mathbf{C})$ の展開の公式が幾何学的に証明出来たことになります。

　ここまでは全く問題がありません。これ以後は、一般的に言われている微分演算子 ∇ をベクトルとして扱うことについて、その問題点について話したいと思います。

　先の式を $(\mathbf{B}\cdot\mathbf{B})\mathbf{C} = \mathbf{B}\times(\mathbf{B}\times\mathbf{C}) - (\mathbf{B}\cdot\mathbf{C})\mathbf{B}$ と移行し、ベクトル $\mathbf{B}$ の代わりに微分演算子 ∇ を用いますと、

$$(\nabla \cdot \nabla)\mathbf{C} = \nabla \times (\nabla \times \mathbf{C}) - \nabla(\nabla \cdot \mathbf{C}) \cdots\cdots\cdots 5\text{–}3)$$

　となり、一つのベクトル〈左辺〉が、回転のみのベクトル〈右辺第１項〉と、発散のみのベクトル〈右辺第２項〉の合成からなることがわかります。これがヘルムホルツの分解定理を保証している式と言われています。

　この∇をベクトルとして扱う式の展開には、これまでこの本をここまで読んで下さった方には、反論すべき点があることがお分かりと思います。

◆∇はベクトルと同じでは無い

　ベクトルとは、方向と大きさを持った数値です。微分演算子は、空間座標のそれぞれの方向に偏微分を与えるというのは、なんとなく理解できそうで、私もこれまであまり疑問に思ったことはなかったのですが、いざ∇の方向を幾何学的に表示しようとして困りました。

$$\nabla = \frac{\partial}{\partial x}\mathbf{i} + \frac{\partial}{\partial y}\mathbf{j} + \frac{\partial}{\partial z}\mathbf{k}$$

って、図に表示するには、どちら方向に書いたらいいの？　先の **B** の代わりに表示しようとしてちょっと困りました。

　でも、なんとか議論を進めて行きましょう。先の **B**×(**B**×**C**) の **B** の代わりに∇というベクトルを代入してみます。∇とベクトル **C** は方向が違うものとして描くと、図5-6のようになります。

　∇×**C**（**C** はベクトル場の任意の点のベクトル）の向きは紙面の裏側を向いたり、表側に向いたりすることは第３章で見てきた通りです。

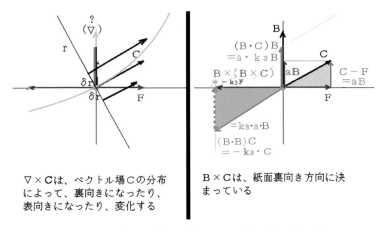

図5-6　∇をB×(B×C)のBの代わりに用いると

∇を単なるベクトルとして扱い、**C**が単独のベクトルであると、∇×**C**の答えは一つで（0に）固定されますが、∇は微分演算子であり、**C**はベクトル場**C**のある点の値であると、"その点の"近傍の**C**の分布によって、その値は変化します。∇×**C**はその空間的な変化率の計算の一つです。

その点のベクトル**C**が同じでも、近傍の**C**の分布形によって、値は変化することは、第3章で見てきた通りです。

すなわち、ベクトル場を$V(r)$で表すと、∇×**V**は、トータルシェアであり、それは"真の回転"と"純粋なずれ"からなっており、「純粋なずれ」、つまり、「流線に直交する方向の速度の変化の仕方」によって、その値と向きさえも大きく変化します。

すなわち、図5-7で、右の図は通常のベクトル同士の「ベクトルの外積」の計算で、**B**×**C**は必ず下向きのベクトルになりますが、同図の左に示すように、微分演算子を一つのベクトルとして扱った場合には、ベクトル外積のように一元的に下向きのベクトルを期待することはでき

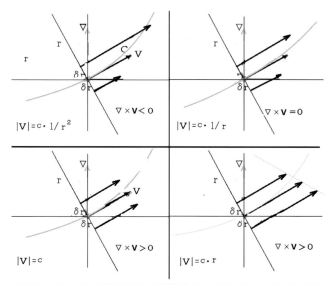

図5-7　▽×Ｖの値はＶの空間分布のありようで変化する

ず、"ずれ"のありようで、図5-7のように変化します。その結果、先の計算のように**G**は上を向いたり下を向いたりします。

　したがって、図5-4で求めたような一価に決められる結果は得られず、ベクトルの３重責のベクトル展開の公式に、微分演算子を通常のベクトルとして代入することはできません。

　それにしても、ベクトル３重積の持つ意味合いを考えてみて下さい。

　rot rot **A** = grad div **A**−Δ**A**

の式が持つ意味を言葉にすると、とても変です。回転という言葉を現代流体力学的に使って表現すると、「回転だけしか無い流れ成分」は「発散だけの流れ成分」から「両方を合わせ持つ成分」を引いたものからなっているということになります。

◆ベクトル３重積の代数的証明に対して

ベクトル３重積の展開を代数的に行うことができます。

$$\nabla \times \mathbf{A} = (\frac{\partial \mathbf{A}_z}{\partial y} - \frac{\partial \mathbf{A}_y}{\partial z})\mathbf{i}, \ (\frac{\partial \mathbf{A}_x}{\partial z} - \frac{\partial \mathbf{A}_z}{\partial x})\mathbf{j}, \ (\frac{\partial \mathbf{A}_y}{\partial x} - \frac{\partial \mathbf{A}_x}{\partial y})\mathbf{k}$$

の $\mathbf{\Lambda}_z \to \dfrac{\partial \mathbf{A}_y}{\partial x} - \dfrac{\partial \mathbf{A}_x}{\partial y}, \ \mathbf{A}_y \Rightarrow \dfrac{\partial \mathbf{A}_x}{\partial z} - \dfrac{\partial \mathbf{A}_z}{\partial x}, \ \mathbf{A}_x \Rightarrow \dfrac{\partial \mathbf{A}_z}{\partial y} - \dfrac{\partial \mathbf{A}_y}{\partial z}$

を代入して

$$\nabla \times (\nabla \times \mathbf{A}) = \nabla \times ((\frac{\partial \mathbf{A}_z}{\partial y} - \frac{\partial \mathbf{A}_y}{\partial z})\mathbf{i}, \ (\frac{\partial \mathbf{A}_x}{\partial z} - \frac{\partial \mathbf{A}_z}{\partial x})\mathbf{j}, \ (\frac{\partial \mathbf{A}_y}{\partial x} - \frac{\partial \mathbf{A}_x}{\partial y})\mathbf{k})$$

$$= \left[(\frac{\partial}{\partial y}(\frac{\partial \mathbf{A}_y}{\partial x} - \frac{\partial \mathbf{A}_x}{\partial y}) - \frac{\partial}{\partial z}(\frac{\partial \mathbf{A}_x}{\partial z} - \frac{\partial \mathbf{A}_z}{\partial x}))\mathbf{i}, \right.$$

$$(\frac{\partial}{\partial z}(\frac{\partial \mathbf{A}_z}{\partial y} - \frac{\partial \mathbf{A}_y}{\partial z}) - \frac{\partial}{\partial x}(\frac{\partial \mathbf{A}_y}{\partial x} - \frac{\partial \mathbf{A}_x}{\partial y}))\mathbf{j},$$

$$\left. (\frac{\partial}{\partial x}(\frac{\partial \mathbf{A}_x}{\partial z} - \frac{\partial \mathbf{A}_z}{\partial x}) - \frac{\partial}{\partial y}(\frac{\partial \mathbf{A}_z}{\partial y} - \frac{\partial \mathbf{A}_y}{\partial z}))\mathbf{k} \right]$$

ここで、$\dfrac{\partial^2 \mathbf{A}_x}{\partial x^2} \ \dfrac{\partial^2 \mathbf{A}_y}{\partial y^2} \ \dfrac{\partial^2 \mathbf{A}_z}{\partial z^2}$ を同じ式の中で足して、引くと

$$= \left[(\frac{\partial}{\partial x}(\frac{\partial \mathbf{A}_x}{\partial x} + \frac{\partial \mathbf{A}_y}{\partial y} + \frac{\partial \mathbf{A}_z}{\partial z}) - (\frac{\partial^2 \mathbf{A}_x}{\partial x^2} + \frac{\partial^2 \mathbf{A}_x}{\partial y^2} + \frac{\partial^2 \mathbf{A}_x}{\partial z^2}))\mathbf{i}, \right.$$

$$\frac{\partial}{\partial y}(\frac{\partial \mathbf{A}_x}{\partial x} + \frac{\partial \mathbf{A}_y}{\partial y} + \frac{\partial \mathbf{A}_z}{\partial z}) - (\frac{\partial^2 \mathbf{A}_y}{\partial x^2} + \frac{\partial^2 \mathbf{A}_y}{\partial y^2} + \frac{\partial^2 \mathbf{A}_y}{\partial z^2}))\mathbf{j},$$

$$\frac{\partial}{\partial z}\left(\frac{\partial \mathbf{A}_x}{\partial x} + \frac{\partial \mathbf{A}_y}{\partial y} + \frac{\partial \mathbf{A}_z}{\partial z}\right) - \left(\frac{\partial^2 \mathbf{A}_z}{\partial x^2} + \frac{\partial^2 \mathbf{A}_z}{\partial y^2} + \frac{\partial^2 \mathbf{A}_z}{\partial z^2}\right)\mathbf{k} \Bigg]$$

$$= \Bigg[\frac{\partial}{\partial x}(\mathrm{div}\mathbf{A}) - (\nabla^2 \mathbf{A}_x),$$

$$\frac{\partial}{\partial y}(\mathrm{div}\mathbf{A}) - (\nabla^2 \mathbf{A}_y),$$

$$\frac{\partial}{\partial z}(\mathrm{div}\mathbf{A}) - (\nabla^2 \mathbf{A}_z)\Bigg] = \mathrm{div}(\mathrm{div}\mathbf{A}) - (\nabla^2 \mathbf{A})$$

　と展開でき、移行すると、$\nabla^2 \mathbf{A} = \mathrm{div}(\mathrm{div}\mathbf{A}) - \nabla \times (\nabla \times \mathbf{A})$ となり、5-3）式と同じ公式が得られます。

　この式の展開には、偏微分の順の交換が気になりますが、ベクトルの成分 $\mathbf{A}_x$、$\mathbf{A}_y$、$\mathbf{A}_z$ が滑らかであれば、交換に問題はありません。

　したがって、$\nabla^2 \mathbf{A} = \mathrm{div}(\mathrm{div}\mathbf{A}) - \nabla \times \nabla \times \mathbf{A}$ が得られ、

　　$\mathbf{F} = \nabla^2 \mathbf{A} = \nabla\phi - \nabla \times \mathbf{P}$　　　　（ただし、$\phi = \mathrm{div}\mathbf{A}$、$\mathbf{P} = \nabla \times \mathbf{A}$）

　が得られますので、任意のベクトルが、その元のベクトル由来の発散成分からその元のベクトル由来の回転成分を引いたベクトルになるということが証明できました。

　その元のベクトル由来の発散成分から、その元のベクトル由来の回転成分を引いたベクトル、とは、どんなベクトルなのでしょうか？　多少の疑問が私には残りますが、とにかく、発散も"いわゆる回転"成分も含んだベクトルが、発散だけのベクトルと、"いわゆる回転"だけの負

ベクトルの和になったことを示すことができました。

　任意のベクトル **F** が発散だけの $\nabla\phi$ と "いわゆる回転" だけのベクトルのマイナスの和で示され、「ヘルムホルツの分解定理」が証明できたことになります。

　しかし、式の展開中に打った「名手」、すなわち赤い文字で示した、

$$\frac{\partial^2 \mathbf{A}_x}{\partial x^2}\quad \frac{\partial^2 \mathbf{A}_y}{\partial y^2}\quad \frac{\partial^2 \mathbf{A}_z}{\partial z^2}$$

を $\mathrm{Div}(\mathrm{div}\mathbf{A})$ にも $-\Delta\mathbf{A}$ にも振り分けたことを忘れてはなりません。

　二つの成分は、互いに独立していないということです。

　任意のベクトル場のベクトルから、「発散のみのベクトル成分」と「(いわゆる) 回転のみの成分」が計算されて出てきます。

　すると、「発散の分布から発散風」を計算することができ、「回転の分布から回転風」を求めることができます。

　発散風は、回転の無い風になっており、回転風は発散の無い風になっています。

　しかし、それらの風は、元の風成分を共通に使っている成分を含んでいます。「発散風」には元の風の回転成分を含んでおり、「回転風」には元の風の発散成分を含んでいます。

　分解されたとする二つのベクトルが直交しないのは、そのような意味を示しています。はじめに元の風を直交成分に分解していて、それぞれ分解された風だけで、発散成分と回転成分が構築できれば、それらは互いに直交しています。それが意味のあるベクトルの分解ですが、ヘルム

ホルツの分解はそうではありません。

　単にこの定理は、元のベクトルから「発散のみの成分」と「回転のみ
の成分」を「取り出すことができる」という定理なら、間違っていない
とも言えます。しかし、分解が直交してなくても良いなら、この定理は
全く価値の無い定理ということができます。

◆ヘルムホルツの分解定理のもう一つの証明方法について

　ヘルムホルツの分解定理を証明するために、図5-8に示すように、そ
の場所のベクトル成分を直交する発散成分と回転成分にはじめに分け、
それぞれの成分による計算を行うことによって、「発散成分」と「回転
成分」に分ける方法があります。

　この方法ですと、はじめに、直交する青い成分（発散成分）と赤い成
分（回転成分）に分けていますので、互いに独立した「発散」と「回
転」に分離できている筈です。

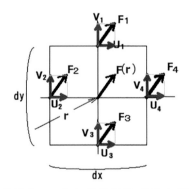

図5-8　ベクトルを発散成分と回
　　　転成分に分解する

　ここで、発散および回転を求めますと、発散は、

$$\mathrm{div}\mathbf{F} = \frac{\partial \mathrm{V}_x}{\partial x} + \frac{\partial \mathrm{V}_y}{\partial y} = \frac{\mathrm{U4-U2}}{\mathrm{d}x} + \frac{\mathrm{V1-V3}}{\mathrm{d}y}$$

と青い矢印のすべてを使って計算されており、回転は（curl$\mathbf{F}$ = $\nabla \times$ $\mathbf{F}$)、

$$\mathrm{curl}\mathbf{F} = \frac{\partial \mathrm{V}_y}{\partial x} - \frac{\partial \mathrm{V}_x}{\partial y} = \frac{\mathrm{V4-V2}}{\mathrm{d}x} - \frac{\mathrm{U1-U3}}{\mathrm{d}y}$$

と赤い矢印すべてを用いて計算されています。

　点 r に関する空間変化特性を求めるための近傍のすべてのベクトルを、発散のみに寄与するベクトルと、回転のみに寄与するベクトルに分解し、それらのすべてを二つの式を求めるために使い切っていますので、元のベクトルは発散と回転に分解できたと言うことができます。

　これがヘルムホルツの分解定理の正しい証明の方法になります。単純な図による説明ですが、もっとも疑問の少ない説明であると言うことが出来ます。

　しかし、この説明でも直交していて一見関係の無いようなベクトルの間に、実は深い関係があります。

　もし、ベクトル場が全微分が可能であれば、上の青いベクトルと赤いベクトルは直交していても互いに独立では無く、それぞれに相関関係があります。

　先の図の法線成分（青いベクトル）U4は、発散成分の計算に用いられていますが、その値は接線成分（赤いベクトル）U3と密接な関係を持っていますし、また接線成分（赤いベクトル）のV4は法線成分（青

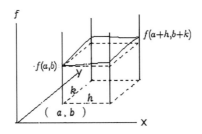

領域 D で定義された関数(2変数関数) $z = f(x,y)$ に対して,

$$f(a+h, b+k) - f(a,b) = Ah + Bk + \varepsilon(h,k)\sqrt{h^2+k^2}$$

と表わすとき, $(h,k) \to (0,0)$ において $\varepsilon(h,k) \to 0$ が成り立つような定数 A , B が存在するならば, $f(x,y)$ は点 (a,b) において全微分可能であるという. すなわち

$$f(a+h, b+k) = f(a,b) + f_x \cdot h + f_y k.$$
$$(h,k) \to (0,0)$$

図5-9 全微分が可能な場合

いベクトル)の V3と密接な関係を持っています。同様なことは格子点1と格子点2との間にも見られます。

発散の計算に用いられた U4は、発散計算が行われる前に既に、渦成分を持っています。ということは、元のベクトル F の発散計算を行うために用いられた U4は、発散と渦の二つの成分に共通に寄与していることを示しています。

同じことが V4と V3の間にも、U1 と U2の間にも、V1 と V2の間にも言えます。

これらの事柄は、流れの成分には、「発散も渦も両方含む流れの成分」が存在することを示しています。すなわち、流れの成分には、「発散流れ」と「渦流れ」のほか「発散も渦も無い流れ」と「発散も渦も両方含

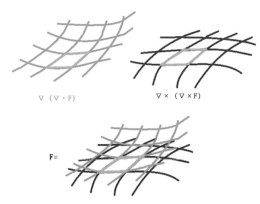

∇（∇・F）　　　　　　　∇×（∇×F）

F＝

**図5-10　発散成分と回転成分の両方に寄与する
　　　　 成分があると**

む流れ」が存在することになります。

　流れの場が存在すると、発散の場も渦の場も計算できますが、それが
独立して存在していることにはなりません。計算によって得られた「発
散の場」と「渦の場」は独立して存在しているのでは無く、図5-10に
示すように互いに共通のネットをもっています。

　従って F およびその周辺のベクトルを用いて計算された発散∇・F の
分布から得られる「発散風」だけが、そのベクトル場の発散を示してい
るわけではありません。その発散風そのものの中に元の風の回転成分が
寄与した風も入って、発散風を作っています。この意味が今の学者に分
かるかなあ。

　逆に「回転風」で“発散”を計算すると、確かに回転は０です。が、
発散風を構成するときに、元の風の発散成分の一部（先に赤い字で示し
た）が混じってはじめて、回転のない風になったことは「◆ベクトル３
重積の代数的証明に対して」の節で見てきた通りです。

◆ベクトル場とポテンシャル場

　電磁現象で現実に存在するのはポテンシャルだけで、力の場は「想定される」だけです。実際に力が空間に満ちているわけではありません。その場所に基準の電荷や電流を置いたと仮定したら、力のベクトルが考えられるというのがポテンシャルです。実際に電荷や電流を置かなければ、力は発生しません。実際に電荷や電流を置かない限り、ポテンシャル場で考えられる力ベクトルが、近傍の力ベクトルやポテンシャル場に影響を与えることはありません（ここでは、直線電流が作る磁場の話で、進行中の電磁波の中は別です）。

　対して速度場は「ベクトル場そのもの」で、ポテンシャルの存在は、はじめに保証されていません。流体のベクトル場にポテンシャルが存在するためには、数学的に条件があることが分かっています。

◆ヘルムホルツの定理についての考え方の実態

　ヘルムホルツの分解定理を信じている人の中には、いろいろな人がいます。私がブログで「ヘルムホルツの分解定理は間違っている」を展開していると、何人もの人からコメントを頂きます。

　その中には、「分解した二つのベクトルが直交していないはずは無い。3次元で直交しているのを、見る角度で直交していないように見ているだけだ」とコメントをくださった人がいました。

　一方、「現実のベクトルが直交していないのは、何の問題も無い。すなわち、現実的には直交していないように見えるが、『発散風』は風の発散成分で『回転風』は、風の回転成分なので、これらは『元来、直交しており、現実の風が直交しておろうとなかろうと、関係なく直交している』」そうである。これが「抽象的な直交性」だそうで、「発散風」は発散風として吹き流れていき、「回転風」は回転風として流れていくの

で、互いに他に影響されないよう流れていくと考えるようです。

　このような考え方は、日本の学問の先頭に立つ教授たちも言っていました。風を示す空気の流れは、例えば、「発散風」は赤い空気の粒に、「回転風」は青い空気の粒として流れていき、赤い粒は赤い粒だけのルール（速度ポテンシャルの等値線に直交）に従って、青い粒は、青い粒だけのルール（流線関数の等値線に沿って）に従って流れるので、互いにぶつかっても問題なく通り過ぎるそうです。

　数学的なベクトルの成分に関する考え方を無視する、この「抽象的な直交性」に至っては、完全に宗教の世界です。現実の風とは、空気の粒子の流れであり、その流れていく方向が流れベクトルであり、その流れの方向を直交する方向に分解して初めて、「分解した意味」があります。分解した二つの成分が互いに直行しない「ヘルムホルツの分解定理」は、間違っているか、もしくは意味の無い定理と言うことができます。

第6章 ベクトル場の考え方の歴史

　流体の流れの様子を示す速度場は、ベクトル場の代表です。同じようにベクトル場として、しばしば挙げられるのが、電磁気現象の「磁場（界）」「電場（界）」ですが、電場・磁場は、本来はポテンシャル場です。

　流体の速度場は、現実に速度というベクトルが空間に満ちていますが、電場・磁場の場合は、電荷や電流を「そこに置くと仮定する」と、そこに力が働き、「力の場」というベクトル場が考えられるというだけで、実際に力のベクトルが空間に満ちているわけではありません。

　流体の速度場は、厳密に言うと瞬間には無く、瞬間に存在するのは、流体物質がそこに「在る」だけで、速度場には、ごく短い時間間隔が必要ですが、電場・磁場というポテンシャル場は、瞬間に場として存在しています。

　流体の速度場は、もともと曲線的に運動している流体粒子の運動を便宜的に速度ベクトルという直線で表示しているだけですが（図1-3参照）、電磁現象で扱う力のベクトルは元々が直線表示するべき値です。

　というように、流体の速度場と電場・磁場とは根本的に違いがあるのですが、歴史的に見ると、これらのベクトル場の発展期に、その違いが分からなくて、同じベクトル場として混同して今日に至っています。

◆マクスウェル・ヘルムホルツ時代以前

ベクトル場に関係する歴史を少し遡ってみましょう。

　1637 年にルネ・デカルトにより『方法序説』が出され、平面上の座標の数学的基礎が確立しました。

　1687 年にニュートンが『プリンピキア』を出して、物体が力によって加速度を得て、運動の変化が起こることを示しました。つまり運動の物理的な原則が示されました（$f = ma$ の原型）。

　18 世紀の初めにはオランダのライデン大学でライデン瓶（静電気の発見）が発明されました。

　1755 年にレオンハルト・**オイラー**により完全流体に対する流体の運動方程式が発表され、座標空間での速度表示が示されました。ベクトル場の概念がスタートしたと言っても良いと思います。

　1794 年：ボルタ電池発明。

　1820 年：アンペールが、電流を流した 2 本の導線が互いに反発・吸引する相互作用と、電流の方向に対して右ねじの回転方向に磁界が生じるというアンペールの法則を発見。

　1823 年：ナビエの運動方程式発表：C. L. M. H. Navier, "Mémoire sur les lois du mouvement des fluides," *Mémoires Acad. Roy. Sci. Inst. France*, **6**, pp. 389–440 (1823)：[*3]

　1825 年：オームによって電流が電圧に比例することを独自に再発見・公表（1781 年にキャヴェンディッシュが発見したが）。

　1845 年：ストークスの運動方程式発表：G. G. Stokes, "On the Theories of the Internal Friction of Fluids in Motion, and of the Equilibrium and Motion of Elastic Solids," *Trans. Camb. Phil. Soc.*, **8**, pp. 287–319 (1845)：[*3]

◆マクスウェル・ヘルムホルツ時代

1845年：ファラデー；磁場における光の偏光作用発見。

1847年：トムソン；電磁気現象に関する数学的表現の論文発表。非圧縮性流体を取り扱うのと同じ手法で、電気力、磁気力及び回転の数学的取り扱いを行った。

1855(6)年：マクスウェル、「ファラデーの力線について」"On Faraday's Lines of Force" を発表。「電気が及ぼす力は、空間の中で湾曲している幾何学的な線に似ている。電場は、空間の至る所を満たしている沢山の力線からなり、……、これらの線の上にあるそれぞれの点には、方向と強度という二つの属性が付随している」「電気は、非圧縮性の流体（例えば水など）と同じように振る舞う」

第2部でファラデーの言う「電気緊張状態（＝磁場）」（Faraday's notion of the electronic）を表現するため、電磁ポテンシャル **A** に相当する変数を導入している。

1858年：ヘルムホルツ；うずいと、渦管のアイデア発表；"Über Integrale der hydrodynamischen Gleichungen, welche den Wirbelbewegungen entsprechen"

図6-1は、ヘルムホルツが描いたものではありませんが、『流体力学（前編）』今井功（裳華房）に示されている "うずいと" Wilbelline をイメージしたイラストです。

1861年：マクスウェルが、第2の論文「物理的力線について」を発表。電磁場理論を発表。"On Physical Lines of Force"

この中で磁場（物理的な力線）について図6-2のようなイメージを発

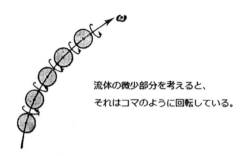

図6-1　ヘルムホルツのイメージを図にしたもの

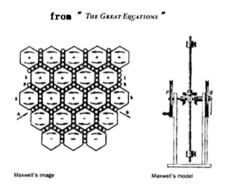

図6-2　マクスウェルが描いた磁場のイメージ

表しています。

1884年：ヘヴィサイドは、当時は20の式から構成されていたマクスウェル方程式を、今日知られる4つのベクトル形式の式に直した。

以上が流体力学と電磁気学関係の簡単な歴史です。

◆回転の誤解はトムソンの一言で始まった

　流体の流れの場の数学的記述は、オイラーやラグランジェにより1700年代に始まっています。電磁気は約100年ほど遅れて発展しており、トムソンやその弟子に当たるマクスウェルが電磁気学の初歩の数学的記述の参考にしたのが、すでにベクトル場の記述を先行していたオイラーたちの流体力学でした。[1]

　ファラデーが、磁場の中を通る光がその偏光面を回転させていることを報告すると、電磁気学を数式を用いて表現することに苦心していたトムソンが、マクスウェルに「磁場が光の偏光面を回転させられるなら、力線上のそれぞれの点は、回転する小さな『**分子の渦**』のようなもので、その渦は、傍らを通過するあらゆる光の波に、自らの回転の一部を与えていることになる」[1]と言っています（1855年のマクスウェルの記事参照）。

　この言葉の影響を受けて、マクスウェルは、磁場のイメージとして1861年に図6-2のようなセルをイメージし、「磁場は、このような回転する多数の『セル』でできているとしよう。このセルは、まるで一本の糸に貫き留められているかのように、電気力線に沿った向きに軸をそろえて並んでいると」[1]と言っています。

　この考え方は、図6-3のように、図6-1に示すヘルムホルツの"うずいと"のイメージとほとんど重なります。どちらが影響を受けたのか分

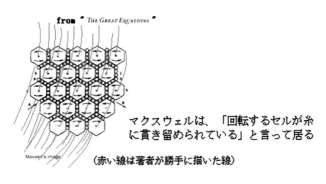

図6-3　マクスウェルの磁場のイメージ

かりませんが、トムソンは、ヘルムホルツにも影響を与えているようですので、時代を同じくするマクスウェルとヘルムホルツは互いに意識しあっていたのではないかと考えられます。

　ヘルムホルツは流体の流れの空間に、マクスウェルは、磁場の空間に「分子的に回転するセル」を考え、それぞれイメージを作ったと思われます。マクスウェルは、この隣り合うセルが同方向に回転すると「こすれの問題」があることを意識して、その問題解決のために図6-2の右に示している"idle wheels"を考え、隣り合うセルの回転の問題を解決すべく工夫をしています。

　一方の、ヘルムホルツは、何も考えることなく、平気で"うずいと"を発表しています。ヘルムホルツは、マクスウェルの電磁気学に傾倒していた節があり、自分の弟子のヘルツに、電磁波の実験をさせ、マクスウェルの理論の実証を指示し、ヘルツは見事に電磁波の実証をしています。互いに意識していたようなのですが、なぜ、ヘルムホルツは、この「隣り合う"うずいと"間の問題」に無頓着だったのか、私には理解ができません。

　流れの中に単に「回転」が必要と考えても、別に上下の回転と同軸的

に「回転」することまで考える必要は無いと思います。「うずいと」の考えは、マクスウェルの「電気力線」のイメージに誘引されて出てきたアイディアではないかと思いますが、上下の同軸的回転を求めるなら隣の回転との"こすれ"の問題も解決すべきです。

　現代ではこの「うずいと」が流体力学の常識になっています。ネットで、「うずいと」「イメージ」で検索してみてください。いろいろなイメージが考えられています。彼らには、流れの場の表示はとても複雑なようです。私の描いた図1-6と比較してみてください。流れの中に「小さな回転成分」なんて必要ありません。曲線的に流れる流体粒子の速度に"ずれ"さえあればすべて、話は進みます。

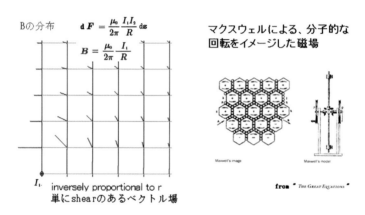

磁場は、単にshearのあるベクトル場であって、分子的な回転をしている場では無い

図6-4　∇×A は、単に空間的なずれの分布だけ

　微分演算子の∇は、マクスウェルが最初に使いだしたそうです。彼は"くるくる"回るイメージの演算子と考えていたようですが、直線電流が作る磁場∇×**A** は、第３章で見てきたように、いわゆる回転が０でした。決して"くるくる"のイメージはありません。図6-4の左に示すように、「真の回転」とその回転を打ち消すような「純粋な"ずれ"」があるだけで、電磁波の偏光面は回転します。

　マクスウェルは、20から30もの重要な論文を出していますが、マクスウェルの電磁方程式として4つにまとめたのは、1884年のヘヴィサイドでした。これは、まったく私の憶測だけですが、マクスウェルは、この「回転」について彼自身疑問を持っていて、その整理ができなかったのではないかと思います。

　電磁方程式の場合は、$\nabla \times \mathbf{B} = \dfrac{1}{c}(4\pi i + \dfrac{\partial \mathbf{E}}{\partial t})$ で、0では有りません。0になる場合は、第3章で、「H2を、磁界と同じようなベクトル」と書いてきた光速Cが無限大、すなわち全く瞬時に磁界や電界のポテンシャルが広がっていた場合に相当しています。これは、磁界が電流iから光速cで広がって行く、時間変化に関係したもので、磁界のポテンシャルが、時間に関係なく本当に瞬間にできるものであれば、0になることを意味しています。

　この時代では、（今でも多くの学者は気づいていませんが）電磁気学の扱うベクトルと流体力学の扱うベクトルとの違いが分かっていませんでした。電磁場とはポテンシャル場であり、流体の速度場は、ベクトル場です。

　トムソンやファラディー、マクスウェルなどは、磁界の中で光が偏向するのを知って、何か回転するモノを必要と考えたのは、当時としては無理からぬことでしたが、実際には、空間にベクトルの"ずれ"があり、それが時間的に変化すれば、その場所で分子的に回転している必要はありません。

　当時の感覚では、光は幅のない線上に飛行すると考えたのでしょうが、光は一定の幅を持って進みます。その際、電磁ベクトルポテンシャルは「空間的なずれ$\nabla \times \mathbf{A}$」が時間的に変化して偏向します。マクスウェルは電気力線を横切る「磁場」として考えるべきイメージとして、図6-4の左図のように、"ずれ"のあるポテンシャルを考えるべきでし

た。

　トムソンやマクスウェルは、オイラーの流体力学を"模倣して"電磁現象の数式化に成功しました。そのことを知っているヘルムホルツは、彼らの影響を受け、電磁現象と同じベクトル場である流体の速度場に磁場と同じような回転があるとの考えを導入したものと私は考えます。

　磁場のベクトルポテンシャル **A** のいわゆる回転が 0 と知っていれば、回転のイメージは、必要でなく、単なるずれのあるポテンシャル場として、流体に curl、vorticity、rotation などの概念は無用ですし、邪魔になる考え方です。流体力学は、非線形のナビエ・ストークスの方程式だけで考えるべきです。

＊1：『世界でもっとも美しい10の物理方程式』日経 BP 社；ロバート・P・クリース著、吉田三知世訳（＊2の日本語訳本）

＊2：「THE GREAT EQUATIONS」ROBERT P. CREASE（＊1の原本）

Thomson said,「if a magnetic field can shift the plane of polarization of light, it is as if each point on a magnetic line of force were a tiny, spinning **"molecular vortex"** that passed along some of its spin to any waves of light flowing by」

＊3：https://ja.wikipedia.org/wiki/%E3%83%8A%E3%83%93%E3%82%A8%E2%80%93%E3%82%B9%E3%83%88%E3%83%BC%E3%82%AF%E3%82%B9%E6%96%B9%E7%A8%8B%E5%BC%8F

第7章 | ナビエ・ストークスの運動方程式

　流体の運動も、基本的にニュートン力学に則って個々の粒子が運動を変化させていきます。ただし、個々の粒子についての運動方程式を記述するのは不可能ですので、流体の存在する空間に仮想の体積を考え、今の瞬間にその体積の流体に働く力によって、その体積の流体がどのように運動を変えていくかの運動方程式を考えます。

　歴史的に最初に流体の運動方程式を作成したのはオイラーで、1755（'57年？）年に粘性が無い流体に対する流体の運動方程式を構築しました。

　この方程式は、粘性による剪断力が考慮されていませんでしたので、後になってナビエやストークスによって流体の粘性を考慮した運動方程式が考えられました。これをナビエ・ストークスの運動方程式と言います。

　ナビエ・ストークスの運動方程式には、ヘルムホルツの間違った考え方である「回転」成分が入っていません。現代の気象予測は、ナビエ・ストークスのプリミティブモデルで大きな成果を得ています。

　プリミティブとは、「元の」という意味で、ナビエ・ストークスの運動方程式をそのまま用いて大きな成功を収めているという事実があります。

　流れの中に「回転」という概念は、全く必要でありません。殆どの流体力学のテキストには、「回転」に関する多くの記述がありますが、殆どが無用、または無効の議論になっています。

ただし、$\dfrac{\partial \mathbf{U}}{\partial y}$ を「回転」と勘違いしたまま、解説しているテキストに関しては、それを「"ずれ"」と正しく認識すれば、そのまま有効な解説になっています。ナビエ・ストークスの運動方程式のためには、「"ずれ"」が重要な要素となっていますので、「回転」と「"ずれ"」の違いを意識しながら、正しく読み進めて下さい。

　私は、ナビエ・ストークスの運動方程式について、正直まだ分かっていないことも多くありますが、ほんのさわりの部分だけお話しさせて頂きます。

◆オイラーの運動方程式

　まずは、オイラーの運動方程式のお話からです。

　流体の密度を ρ、速度成分を $\mathbf{V}$、単位質量にかかる力を $\mathbf{K}$、圧力を p としますと、密度 ρ の単位体積に対する運動方程式は、$\mathbf{V}$ は x、y、z、t の関数になっているので、流体中の微少部分に関する加速度は、近似的に、

$$\frac{\mathrm{D}\mathbf{V}}{\mathrm{D}t} = \frac{\partial \mathbf{V}}{\partial t} + \frac{\partial x}{\partial t}\frac{\partial \mathbf{V}}{\partial x} + \frac{\partial y}{\partial t}\frac{\partial \mathbf{V}}{\partial y} + \frac{\partial z}{\partial t}\frac{\partial \mathbf{V}}{\partial z} = \mathbf{K} - \frac{1}{\rho}\nabla p$$

で示されます。

　これは、ニュートンの運動方程式を、単位体積に当てはめたもので、オイラーの運動方程式と呼ばれています。

　「近似的に」と言ったのは、1個の固体に対するニュートンの運動方程式のように、正確には書けないからです。流体の単位体積に掛かる加速度は、4つの項に分けて表すことができると考えるものです。

　式の真ん中の第1項は、その点における速度の単位時間当たりの増加

分です。固体に対する運動方程式と違って複雑なのは、その場所の速度
増分だけでは、その場所に掛かる力による増分（つまり、加速度）は捉
えきれないという理屈です。

　そのほか、真ん中の第2項は、流体が「単位時間にx方向にどれだ
け移動するか」という値と、「x方向の速度の増分」の積が、流体のx
方向に流れていることによる「加速度相当分」ということになります。

　第3項、第4項は、それぞれy軸方向、z軸方向の流れによる流体の
加速度相当分です。

　また、通常流体の質量は、普遍なので、連続の式が成り立ち、

$$\frac{\partial \rho}{\partial t} + \frac{\partial (\rho u)}{\partial x} + \frac{\partial (\rho v)}{\partial y} + \frac{\partial (\rho w)}{\partial z} = 0$$

と表すことができます。

　運動方程式は3方向に書くことができ、連続の式と併せて4つの方程
式がありますので、u、v、w、pの4つの未知数について、解くことが
できるはずです。

　ここで、∇pは考えている体積の面に直角に押す力になります。

　この式では、考えている体積の面に直角に働く力は、圧力勾配で表す
ことができていますが、接している面の横方向にかかる力（剪断力）が
考慮されていません。

◆ナビエ・ストークスの運動方程式

　従って、この運動方程式では、豪雨になって川が強い濁流になって、
柱の横をすごい濁流が流れてきても、橋梁の柱には、力が掛からず流さ

れない筈の式になっています。

　この点に注目して、ナビエ（Claude Louis Marie Henri Navier、1785年～1836年）がはじめて、1822年に粘性流体の運動方程式に関する論文をだし、さらに後年になって、ストークス（Sir George Gabriel Stokes、1819年～1903年）が1845年に一般式を導きました。粘性による影響を考慮した流体の運動方程式を、後に「ナビエ・ストークスの方程式」と呼ぶようになりました。

　すなわち、流体は粘性を持っており、粘性によって面を「横に」引っ張る力が考えられます。流体の速度勾配に比例して粘性力がかかる液体をニュートン流体と呼びますが、流体力学では一般にニュートン流体を仮定して、運動方程式を考えます。

　ニュートン流体を仮定すると、

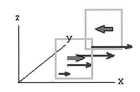

$$\tau_{yx} = \mu \frac{\partial u}{\partial y}$$

μは粘性係数

y方向に、速度のx方向成分が
変化してできる剪断力。
（x、z面に働く）

図7-1　"ずれ"によって壁
　　　が受ける剪断力

二つの壁の間に壁に平行な流れがあって、その流れ成分に図7-1のよ

96

うな"ずれ"があると、両方の面に粘性係数に比例し、そのときの"ずれ"の大きさに比例した剪断力が働きます。

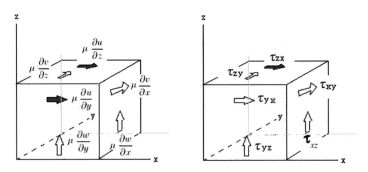

図7-2　微少部分にかかる剪断力

流体の中に小さな直方体を考えると、それぞれの面に図7-2のような剪断力が働きます。

図7-2を参考に、x 方向だけの剪断力を考えます。

図7-2の原点の位置を $(x、y、z)$ とし、それぞれの1辺がΔx、Δy、Δz とすると、x-z 面（z 軸は紙面の上方向）の手前の面では、τ_{yx} $(x、y、z)$ という剪断力が働き、向こう側の面では、τ_{yx} $(x、y+\Delta y、z)$ の剪断力が働きます。

従って、x-z 面でこの直方体が外側の流れから受ける剪断力は、図7-3に示すように、

$$\frac{\partial \tau}{\partial y} = \tau_{yx}(x, y+\Delta y, z) - \tau_{yx}(x, y, z)$$

$$= \mu \cdot \left(\frac{\partial^2 U}{\partial^2 y} \right)$$

となります。

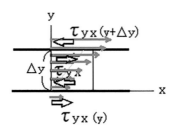

$$\tau_{yx} = \mu \frac{\partial u}{\partial y}$$

μ は粘性係数

図7-3　"ずれ" $\dfrac{\partial U}{\partial y}$ による剪断力

xy 面（上面と底面）についても同様の考え方ができますので、

$$\frac{\partial \tau}{\partial z} = \tau_{zx}(x, y, z+\Delta z) - \tau_{zx}(x, y, z)$$

$$= \mu \cdot (\frac{\partial^2 U}{\partial^2 z})$$

U 成分によってこの直方体が受ける剪断力は、以上の２つです。

　単位体積に影響のある粘性の力として、面に平行な剪断力だけで無く、面に直角な、つまり x、y、z 軸の方向に掛かる力もあります。

　これから以降は正直私には、理解できているとは言えません。

　剪断力のほか、流体の表面にかかる力として、軸方向の力として、圧力 **P** の効果の他に粘性による体積変化の効果があるそうです。

$$\sigma_{xx} = -p + 2\mu \frac{\partial u}{\partial x} + \lambda \Theta$$

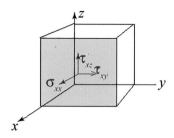

流体表面にかかる力
　τ：剪断力
　σ：軸方向にかかる力

図7-4　流体の表面にかかる力

$$\sigma_{yy} = -p + 2\mu\,\frac{\partial v}{\partial y} + \lambda\Theta$$

$$\sigma_{zz} = -p + 2\mu\,\frac{\partial w}{\partial z} + \lambda\Theta$$

となります（ここで、$\Theta = \mathrm{div}\mathbf{V} = \nabla\cdot\mathbf{V}$）。

ここで圧力 P は周りの流体から押される応力 $\sigma_{xx}, \sigma_{yy}, \sigma_{zz}$ の平均だと考えて、

$$p = \frac{\sigma_{xx} + \sigma_{yy} + \sigma_{zz}}{3}$$

をこれらの式に代入し、すべての式を足し合わせると、

$$\sigma_{xx} + \sigma_{yy} + \sigma_{zz} = (\sigma_{xx} + \sigma_{yy} + \sigma_{zz}) + 2\mu\left(\frac{\partial u}{\partial x} + \frac{\partial v}{\partial y} + \frac{\partial w}{\partial z}\right) + 3\lambda\Theta$$

となりますから、

$$0 = 2\mu\,(\mathrm{div}\mathbf{V}) + 3\lambda\,(\mathrm{div}\mathbf{V})$$

となり、$\lambda = -\dfrac{2}{3}\mu$ が得られます。従って、

$$\sigma_{xx} = -p + 2\mu\,\frac{\partial u}{\partial x} + \lambda\Theta$$

$$= -p + 2\mu\,\frac{\partial u}{\partial x} - \frac{2}{3}\mu\Theta$$

であり、非圧縮性流体の場合はゼロになるそうです。

オイラーの運動方程式にこれらの粘性による力を加えて単位体積に対する x 方向の運動方程式を作ると、

$$\rho\,\Delta x\,\Delta y\,\Delta z\,\frac{\mathrm{D}u}{\mathrm{D}t} = \rho\,\Delta x\,\Delta y\,\Delta z F_x$$
$$+ (\sigma_{xx}(x+\Delta x,\,y,\,z) - \sigma_{xx}(x,\,y,\,z))\,\Delta y\,\Delta z$$
$$+ (\tau_{yx}(x,\,y+\Delta y,\,z) - \tau_{yx}(x,\,y,\,z))\,\Delta z\,\Delta x$$
$$+ (\tau_{zx}(x,\,y,\,z+\Delta z) - \tau_{zx}(x,\,y,\,z))\,\Delta x\,\Delta y$$

のようになり、$\Delta x\,\Delta y\,\Delta z$ で割ると、

$$\rho\,\frac{\mathrm{D}u}{\mathrm{D}t} = \rho F_x + \left(\frac{\partial\sigma_{xx}}{\partial x} + \frac{\partial\tau_{yx}}{\partial y} + \frac{\partial\tau_{zx}}{\partial z}\right)$$

が得られます。あと圧力項を代入すれば、

$$\frac{\mathrm{D}u}{\mathrm{D}t} = F_x - \frac{1}{\rho}\,\frac{\partial p}{\partial x} + \frac{1}{3}\,\frac{\mu}{\rho}\,\frac{\partial\Theta}{\partial x} + \frac{\mu}{\rho}\left(\frac{\partial^2 u}{\partial x^2} + \frac{\partial^2 u}{\partial y^2} + \frac{\partial^2 u}{\partial z^2}\right)$$

が導かれます。同様に、y、z 成分を計算すると、

$$\frac{\mathrm{D}v}{\mathrm{D}t} = F_y - \frac{1}{\rho}\,\frac{\partial p}{\partial y} + \frac{1}{3}\,\frac{\mu}{\rho}\,\frac{\partial\Theta}{\partial y} + \frac{\mu}{\rho}\left(\frac{\partial^2 v}{\partial x^2} + \frac{\partial^2 v}{\partial y^2} + \frac{\partial^2 v}{\partial z^2}\right)$$

$$\frac{\mathrm{D}w}{\mathrm{D}t} = F_z - \frac{1}{\rho}\frac{\partial p}{\partial z} + \frac{1}{3}\frac{\mu}{\rho}\frac{\partial \Theta}{\partial z} + \frac{\mu}{\rho}\left(\frac{\partial^2 w}{\partial x^2} + \frac{\partial^2 w}{\partial y^2} + \frac{\partial^2 w}{\partial z^2}\right)$$

となります。これらの方程式を**ナビエ・ストークス方程式**と呼び、流体力学の基礎方程式となるそうです。

　ちなみに非圧縮性流体の場合は、Θ がゼロなので、

$$\frac{\mathrm{D}\vec{v}}{\mathrm{D}t} = \vec{F} - \frac{1}{\rho}\nabla p + \nu\nabla^2\vec{v} \qquad （ただし、\nu = \frac{\mu}{\rho} \ は動粘性係数）$$

となります。

　以上が、ナビエ・ストークス方程式の説明ですが、正直に白状しますと、私には、分からないことがたくさんあります。剪断力以外について、殆ど理解不能です。

　この式について、比較的詳しく書いているテキストとしては、先に「第4章　回転」のところでも述べましたが、『流体力学』日野幹雄（朝倉書店、第7刷）の、

　　7．粘性流体の基礎方程式

に参考になると思われる記述が多くあります。

　何度も言いますが、私の頭では理解できませんが、否定する力もありません。先の日野先生のテキストをご覧になって、ご自身で判断頂ければ幸いです。

　私には、剪断応力以外は分かりませんでした。

　なお、このテキストでは、同じ節で、

「これまでに述べた関係式の中には、流体の運動に関する量のうち、渦度は現れてこなかった。渦度は、ある軸まわりの流体の剛体的運動を表す量であって、隣り合う流体粒子間の相対運動ではないから、応力には関係ない」

と言っていますが、私のこのテキストで既に何度も言っていますように流れの中に「渦度成分」や「うずいと」「渦管」などの要素はありませんので、出てこないのが当たり前です。が、「回転成分」を常識的に考える人には、方程式に「回転成分」が入っていないのは、不思議なのでしょう。

もしも、「回転成分」が流れの成分の一部なら、「渦が隣り合う流体粒子の相対運動ではないので応力に関係ない」では、済まないと思います。重要な運動方程式に現れない筈はありません。

私は、流れの中に渦度成分は無いと言いましたが、誤解があるといけませんので、言っておきますが、渦は流線の曲率で示される性質のものとして現れます。そして、その流線は、"ずれ"によって影響を受け、変化していきます。

新しい流体力学では、「その流線をどのように示し、流線が"ずれ"にどのように変えて行かれるのかを、数式で示す必要がある」と思いますので、それらの研究をして頂けるのを楽しみに待っています。

基本的に、ナビエ・ストークスの方程式は、流体に掛かる力による3方向の非線形方程式と質量保存の式でできています。

これらの式から、例えば x 軸成分の式を y で偏微分して、y 軸成分を x で偏微分した式と併せたりして、「渦度方程式」や「発散方程式」を求めたりしますが、これら各成分ごとの式はそれぞれ、非線形方程式です。非線形方程式とは、足し合わせることのできない性格を持ってい ま

すので、「渦度方程式」や「発散方程式」を作ることは、やってはいけないことをやって出来上がった産物です。

　現代の流体力学では、真の回転が分かっていませんが、「本当の回転は流線の持つ曲率に現れており、その曲率を変更させるのは、純粋な"ずれ"による剪断力」です。このことを数式化して、正しい、新しい流体力学を構築して行ってくれる若い人の出現を切望しています。これらのことを一番詳しく知っている人は、私の勝手な思い込みですが、気象庁でプリミティブモデルの改良に実際に苦心されている方々ではないかと思います。

　私は、昭和48年に気象庁の予報課の研修に、参加するチャンスをいただきました。そのときの研修の目玉が、「プリミティブモデル」に変更するに当たっての研修でした。それまでのモデルは、「渦度方程式」、「発散方程式」を用いたものでした。

　プリミティブモデルとは、ナビエ・ストークスモデルの元の式の意味です。その後の予報の精度向上はめざましく、最近の予報の精度の良さは、多くの方の認めるところです。電子計算機の発展と予報モデルの改良のおかげだと思うのですが、モデルは、基本的にプリミティブのままの筈です。

　どんなに電子計算機の精度が向上しても「渦度方程式」や「発散方程式」を用いての正確な予報は、できるはずはありません。それらの式は間違った考えから出てきた式だからです。

　現代の流体力学のテキストで、ナビエ・ストークスの運動方程式に関しては、『流体力学』日野幹雄（朝倉書店）が一番詳しく説明されています。その、

　　7．粘性流体の基礎方程式

8．ナビエ・ストークス方程式の厳密解

からは、多くの知見を得ることができます。ただし、その中の議論で「渦度」としているのは、本当は"ずれ"である場合が有ります。平板上の流れの議論をしていて、板の面の方向を x とし、板から離れる方向を y と取って、

$$\omega_z = \frac{\partial \mathbf{V}}{\partial x} - \frac{\partial \mathbf{U}}{\partial y} = -\frac{\partial \mathbf{U}}{\partial y} \quad (\because \mathbf{V} \equiv 0)$$

としています。これは、単なる"ずれ"を扱っているだけで、決して「回転」や「渦度」ではありません。"ずれ"と認識すれば、ここでの議論の意味があります。その点だけ注意して、この本からナビエ・ストークスの方程式の多くを学んで下さい。まともに「回転」を議論している部分は、全部ナンセンスです。

ナビエ・ストークス方程式の完全解を求めることができると、莫大な賞金がもらえるそうです。私は以前に、天才少女がこの式の一般解を解いたという映画『gifted ギフテッド』を見ましたが、非線形の方程式系に完全な一般解はありません。

この方程式を解くためには、ナビエ・ストークスの非線形方程式を差分方式で時間を細かく刻みながら「近似解」を如何に現実に近づけるか、必要な慣性力、圧力、粘性力の三つ（『流体力学』日野幹雄より）の「力の入れ方」はどうか、研究していくしかありません。

新しい流体力学の数式の詳しい説明を期待されて、この本を見て下さった方の中には、この第7章を見て期待を裏切られたと思う方がいるかもしれません。まだ本当のことが私には、分かりません。ただ、ヘルムホルツの"うずいと"にねじ曲げられた現代の流体力学を正すための序説としてこの本を出版しました。

　現代流体力学に毒されていないあなた方の中から、ナビエ・ストークスの正しい理解、または正しい方程式の作り直しを目指してくれる方がおられましたら、それこそ筆者の望みです。それが、このテキストを書き始めた動機です。よろしくお願いします。

第8章 速度ポテンシャルと非地衡風

◆発散風と非地衡風

　今の気象学では、吹く風は、ヘルムホルツの分解定理が信じられているため、「発散だけの風」と「回転だけの風」に分解できると考えられています。

　その「発散だけの風」を示す図が「速度ポテンシャル図」で、ポテンシャルの傾きが「発散だけの風」、すなわち「発散風」と言われています。したがって、このポテンシャル図だけ解析すれば、その気圧面（高度）の発散や収束が分かることになっています。

　第2章でお話ししましたように、天気現象の解析には、上昇気流・下降気流の解析が大変重要です。上昇気流のある場所では、天気が悪く、下降気流のある場所では、晴天になります。

　したがって、天気図として上昇気流や下降気流を直接観測してその分布を描けば良いのですが、風は、その気圧面に沿ってほぼ水平に吹きますので、上昇気流や下降気流を直接観測するのは困難です。水平方向には数十メートル毎秒の風が吹きますが、上下の速度は数センチ毎秒程度の単位です。

　観測は難しいのですが、水平の風の分布から上昇気流や下降気流の場所を決めることができます。それが、第2章で見てきた発散計算による解析です。参考のため、次ページに図2-3を再掲します。

　上層の発散域は悪天を、上層の収束域は好天をもたらせます。

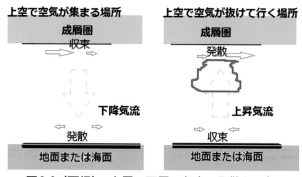

図2-3（再掲）　上層・下層の収束・発散と天気

　このことが分かっていると、上層の発散分布をみれば、好天域や悪天域の位置が分かります。発散の値がプラスの所は概ね天気が悪く、マイナスの所は収束しているので天気が良くなっています。

　今の気象学では、「速度ポテンシャル図」から「発散成分」を計算できることになっていますが、このテキストをここまでご覧いただいた方には既にお分かりと思います。実は流線関数から得られる「回転風」にも発散成分が含まれているため「速度ポテンシャル」だけで実際の流れ（風）の発散成分を取り出すことはできません。

　流線関数から求められる風自身は、実際、彼らの言う「回転成分」しかない風になっていますが、そのように回転成分だけの風として吹くために、元の風の中の発散成分から応援を得ていることを第5章（赤字の数字で見てきたように、元の風と発散成分に同じ成分をねじ込んで回転成分を作り上げてきています）で見てきています。

　では、上層風から「発散成分」を取り出すことは、お手上げでしょうか。

　実は、気象学の初歩で習う「地衡風」と、現実の風との差である「非

地衡風成分」から発散分布を知ることができます。こちらの方は、理屈が簡単で、理解に複雑な知識を必要としていません。

　摩擦の無い大気中層以上で実際に吹いている風は、ほぼ「地衡風」として吹いています。

　風は空気の流れです。大気中の空気は、気圧の差で気圧の高いほうから低いほうに押されて吹き始めますが、押されて動き出すと、地球の回転の影響を受けて、北半球では右の方に向きを変える力が働きます。これを「コリオリの力」と呼びます。

「コリオリの力」は、速度に比例しますので、気圧差で押されてどんどん速くなって行くにしたがって、右に向けられる力も大きくなっていきます。気圧差の力は、常に等高線（地上の等圧線と同じと考えてもらって結構です）に直角下向きに働いていますが、コリオリの力は次第に向きを右に変え、次第に大きくなって、ついに向きは気圧差の力の方向と真反対に、大きさは等しい大きさになって安定した風になります（図8-1参照）。

　この安定した風が「地衡風」と呼ばれて、上層では、実際にこの地衡風に近い風が吹いています。図8-1に地衡風の模式図を示します。

　地衡風は、等圧線に平行に、強さは等圧線の間隔に逆比例して吹いています。したがって、等圧線に囲まれた溝を流れるように、溝のどの位置で測っても同じ量の空気が流れており、発散や収束が全くない流れになっています。

　ここで実際の風を調査しますと、地衡風に非常に近い風にはなっていますが、完全に等圧線に平行ではない成分をもっていることが分かります。地衡風は、理論的な風ですので、等圧線が分かれば計算により、その方向も大きさも分かります。少し古い資料になりますが、図8-3に非

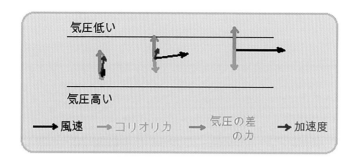

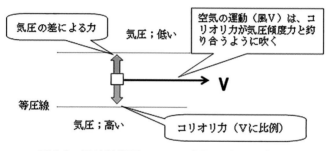

図8-1　風は地衡風バランスを取るように吹く

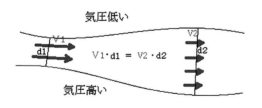

図8-2　地衡風は非発散風

地衡風の例を示します。2002年2月14日21時の大気上層（12000 m付近の高度）の風は、特に日本の南西方の華南辺りでは、等高線と交差しています。

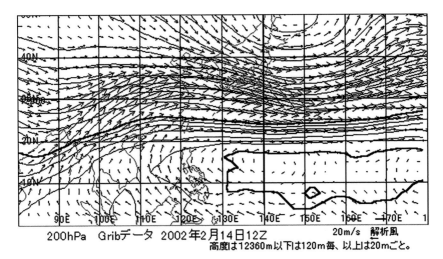

200hPa Gribデータ 2002年2月14日12Z
20m/s 解析風
高度は12360m以下は120m毎、以上は20mごと。

図8-3 上層にみられる非地衡風の例

　地衡風とは、等高線の間隔に逆比例して平行になっている風ですので、実際の風と理論的に計算できる地衡風のベクトル差をとれば、その点の「非地衡風成分」が簡単に、正確に計算できます。「非地衡風成分」は現実の風から完全に発散の無い「地衡風成分」を取り出した風ですので、もしも実際の風に発散成分があれば、この非地衡風成分に「発散成分」はすべて入っているはずです。

「非地衡風」は、発散成分だけでできているわけではありませんが、実際の風の「発散成分」は、すべてこの風に入っていますので、この非地衡風成分から「発散・収束」解析を行うことは有効な方法ということができます。

　実際にこの非地衡風成分で「上層の発散解析」を行い、その発散・収

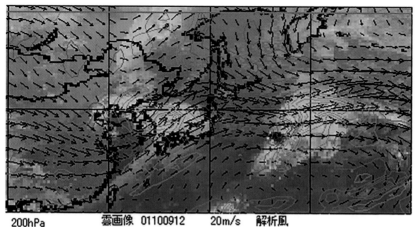

200hPa　　　　　雲画像　01100912　　20m/s　解析風
　　Gribデータ　2001年10月9日12Z　　　　　　　　　←
　　　　　　　　発散分布（等値線は10＊10e-6＊1／s）、赤い等値線が発散域
　　　　　　　　　　　　　　　　　　　　　　青い等値線は収束域

図8-4　上層の風と非地衡風による発散・収束域。雲分布

2001年10月9日21時（世界時12時）

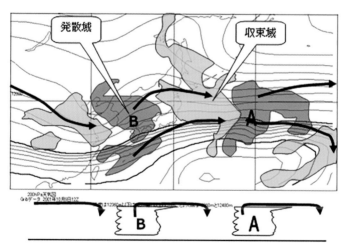

図　　　　解析風による上層の収束・発散を模式的に示した

図8-5　等圧線と発散・収束分布

（2001年10月9日21時）

束分布と雲発生の位置とがどのように対応しているか、2001年10月9日21時（世界時12時）の日本付近の上層天気図と雲分布の関係を図8-4に示し、図8-5に同じ時の発散分布の模式図を示します。

　解析された生の風から発散を計算するのと、非地衡風から発散計算を行うのは全く同じ結果が出ますので、非地衡風による発散分布とは、生の解析風による発散分布と言うこともできます。図8-4、および図8-5を見ると、実際の生の風の資料から直接発散を求めた発散域、収束域がそれぞれ、雲の発達域、晴天域とよく対応しています。

　このことから、非地衡風による発散分布解析の正当性を保証していると言うことができます。

　非地衡風の運動理論を知ると、どのようにして自然の風が発散域を作るか、収束域を作るか理解できます。詳しくは、拙著『日本の猛暑はどこから来るか』に書いていますので、興味のある方は、そちらをご覧ください。一般の気象学の本では、非地衡風に関する記述は、簡単に終わっていることが多いです。

◆月平均図による比較

　次に、「非地衡風で求めた発散分布」と「速度ポテンシャル図から求めた発散分布」との比較をしてみましょう。

　図8-6は、2001年8月の1カ月分の上層の平均風から求めた「月平均風と月平均風から求めた発散分布」を示しています。8月に日本付近の上層で収束して夏の高気圧を維持しているのは、大陸東岸で発散した風が日本の上空を通り、南で収束して高気圧を維持しているからであることがよく分かります。

　図8-7は、同じ8月のデータですが、ヘルムホルツの分解定理を信じ

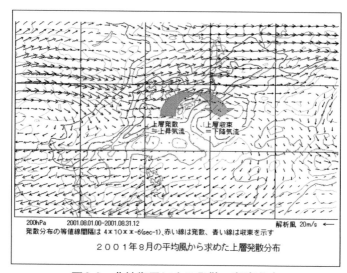

図8-6　非地衡風による発散・収束分布

（赤等値線：発散域、青等値線：収束域）

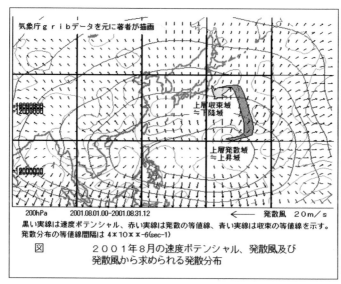

図8-7　速度ポテンシャルから求めた発散・収束分布

る人たちが用いる速度ポテンシャル分布とその「ポテンシャルから得られる発散風」による「発散分布」です。日本の南に発散域があり、その地域の上層で発散した「発散風」は、日本の南の収束域に流れて来て、日本の南にある「太平洋高気圧」を維持していることを言う為の図になっています。

　図8-6で示す風は、風の観測値から直接解析された、言わば実際の風です。対して図8-7は、速度ポテンシャルに分解できた「発散風」を示した図です。

　今の気象学の常識では、図8-7の南から上がって来る風が日本付近で収束して下降し、日本の夏の高気圧を維持していると考えられています。このテキストを読んでくださった人の中には、「速度ポテンシャル図」は、実際の風の中の発散分布を表していないと、お考えになって下さった方もおられることを期待しています。

　次に実際の猛暑年と冷夏年の比較を、非地衡風で考えた場合と速度ポテンシャルで考えた場合の比較をしてみましょう。

　まずは、実際にその年が猛暑の年か、冷夏であったかを、調べるため、最近70年間の8月の西日本の平均気温の変動を図8-8に示します。平均は、舞鶴、大阪、潮岬、松江、松山、高知、福岡、鹿児島の月平均気温を平均した値です。

　このグラフから最近の猛暑年の代表として1994年および2010年を、冷夏年の代表として1980年、1993年を挙げることができます。

　この猛暑年と冷夏年の比較を、非地衡風から見た特性と、速度ポテンシャルで見た特性のどちらが有効か検証してみましょう。

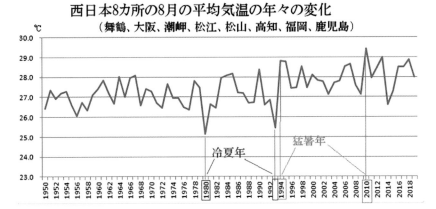

図8-8　西日本の８月の平均気温の年々の変動

（1950–2019年）

　猛暑になったかどうかの判断の為に、８月を通して晴天が続いて雲が殆ど無かったか、あるいは逆に８月を通して雲が多く曇雨天が続いたかが分かる資料があります。

　気象庁が公開している「外向き長波放射量（OLR）の分布図」は、地球の外に向かう熱の量を衛星で計った観測値です。雲がないところでは、地面や海面の温かい表面から大きなエネルギーが地球の外に出て行っていますが、雲が覆っているところでは、雲頂の冷たい表面に覆われているため、地球外に逃げ出すエネルギーが小さくなっています。

　この OLR 分布図では、その値が小さいところを水色で塗っていて、水色が濃いほど雲が発達したことを示しています。白っぽく表示されているところは、晴天が続いて暑かった所を示しています。

　図8-9に猛暑年の上層の等高線（地上天気図の等圧線に相当）の図にOLR の分布を重ねた図を、図8-10に冷夏の同じ図を示します。

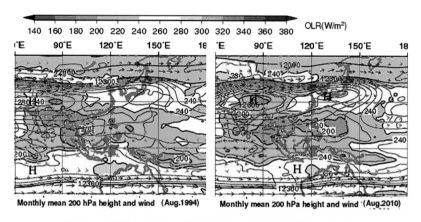

図8-9　猛暑年8月の OLR 分布と対流圏上層の天気図

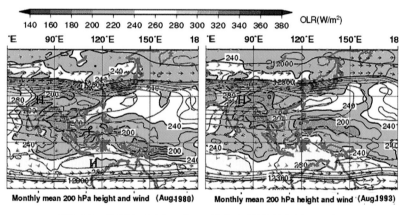

図8-10　冷夏年8月の OLR 分布と対流圏上層の天気図

　図8-9は、両年とも、ヒマラヤ高気圧の一部が日本付近で"こぶ"のように膨れ、小さな高気圧を形成していることがみられます。そのこぶの北側を流れた風が「非地衡風運動」をして、日本の東で南に下がり収束域を作って高気圧を形成していると考えられます。この高気圧の為、好天が続いたことが、OLR の図からも分かります。

　一方、図8-10では、上層のヒマラヤから東に延びる高気圧が、日本付近で弱まり、気圧の谷（等高線が垂れ下がった所）になっています。気圧の谷の東側では、OLR の水色域が日本付近を覆っており、8月を通じ前線が日本付近に停滞していたことが考えられます。

　一方、速度ポテンシャルでの猛暑年と冷夏年の比較をしてみましょう。

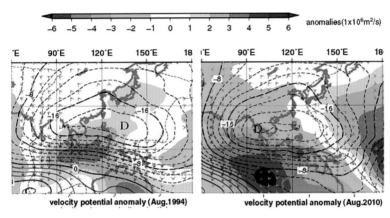

図8-11　猛暑年8月の速度ポテンシャル

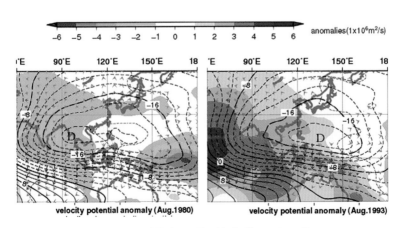

図8-12　冷夏年8月の速度ポテンシャル

図8-11と図8-12の差で、猛暑年と冷夏年の特徴を私の知識では表現することができません。

　ここまで見てきたように、猛暑と冷夏は、ヒマラヤ高気圧の東側の形状が大きな役割を果たしています。その形状とは、ヒマラヤ高気圧本体（東経90度付近に中心を持ち、東西に平らに広がっている）の東端に、"くびれ"（定常的な気圧の谷）ができて、その東に副次的に高気圧が"こぶ"となって現れるかどうか、その位置が、どこになるかで、日本の猛暑か冷夏か、あるいは平年的な年かが決まります。

　そのことを前著『日本の猛暑はどこから来るか』〈2003年新風舎から出版（新風舎は2008年破産）〉に詳しく書きました。そのときの資料に、2010年はまだありませんでしたが、そのときの考え方が2010年の猛暑にもしっかり適用できています。

◆夏の高気圧２段構え理論と猛暑について

　最近、私のこの考えに味方が現れました。猛暑になる原因として、以前はフィリピン付近の積乱雲活動が活発になって、上層で日本付近にやってきて下降する大きな循環ができるのが、猛暑の原因だとされてきましたが、他にヒマラヤ高気圧の東方向へのせり出しが起こり、南からの原因と併せて、「高気圧２段構え」の理論を出す研究者が出てきました。

　私が、従来から言ってきたことの半分は、同じように主張してくれる人が出てきました。

あ　と　が　き

　退職後、『日本の猛暑はどこから来るか』を書いて、既に19年経ちました。『日本の猛暑……』は、「ヘルムホルツの分解定理」がもし間違っていたら、「速度ポテンシャル」という資料が意味の無い資料である可能性があること、従って日本の猛暑は南から来るのでは無く、非地衡風理論によると、ヒマラヤ高気圧の形状で決まることを訴えた本でした。

　その後、インターネットのブログを通して、「ヘルムホルツの分解定理」が違うことを掲載していたところ、いろいろな方から、種々のご指摘を頂きました。そうでも無い方もおられましたが、殆どの方は、好意的にご指摘下さいました。改めて感謝申し上げます。

　それらの頂いたご指摘を見てみると、ヘルムホルツの分解定理を信じている方々でも、いろいろ異なった考え方をして、信じられている内容がかなり違っていることも分かりました。本文にも書きましたが、現実の風をこの定理で分解したときに、直交していなくても問題なく抽象的な理論的な直交性を満足しているので、いっこうにかまわないと言う人がいるかと思うと、直交しているはずで、君の見方が悪いだけだと言われる方もおられました。

　なんとか、その方々に、正当な反論ができないか、いろいろ考えているうちに、「回転」の式の本当の意味がやっと分かり、第3章のような記事を書くことができました。この歴史的大発見の本当の意味を理解して下さる人がいるか楽しみです。

　今、2020年6月は、新型コロナウイルス感染症で、まだ大変な世の中が続いていますが、早く世の中が以前のように平穏になるよう祈っています。

2020年6月6日

　　　　　　　　　　　　　　　　　　　　　光 藤 髙 明

光藤　髙明（みつふじ　たかあき）

1944（昭和19）年	愛媛県今治市生まれ
1967（昭和42）年	愛媛大学文理学部物理学科卒業
同　　　　年	愛媛県立上浮穴高校教諭
1968（昭和43）年	㈶日本気象協会関西本部入社
2001（平成13）年	㈶日本気象協会退社
2003（平成15）年	『日本の猛暑はどこから来るか』（新風舎）

新流体力学　序説

2020年10月19日　初版第1刷発行

著　　者	光藤髙明
発 行 者	中田典昭
発 行 所	東京図書出版
発行発売	株式会社 リフレ出版
	〒113-0021　東京都文京区本駒込 3-10-4
	電話 (03)3823-9171　FAX 0120-41-8080
印　　刷	株式会社 ブレイン

© Takaaki Mitsufuji
ISBN978-4-86641-356-3 C0042
Printed in Japan 2020

落丁・乱丁はお取替えいたします。
ご意見、ご感想をお寄せ下さい。